A MENTALIDADE DO FUNDADOR

CHRIS ZOOK & JAMES ALLEN
A MENTALIDADE DO FUNDADOR
THE FOUNDER'S MENTALITY

A chave para sua empresa
enfrentar as crises
e continuar crescendo

TRADUÇÃO
Ada Felix

SÃO PAULO, 2016

A mentalidade do fundador – The Founder's Mentality:
a chave para sua empresa enfrentar as crises e continuar crescendo
The Founder's Mentality: How to Overcome the Predictable Crisis of Growth

The Founder's Mentality by Chris Zook and James Allen
Copyright © 2016 by Bain & Company, Inc.
All rights reserved.
Portuguese (Brazil only) translation copyright © 2016 by Novo Século Editora
This Portuguese (Brazil only) edition was published by arrangement with Curtis Brown Group Ltd (UK)

5ª reimpressão – nov. 2022

TRADUÇÃO: Ada Felix
PREPARAÇÃO EDITORIAL: Bain & Company
DIAGRAMAÇÃO E ADAPTAÇÃO DE CAPA: João Paulo Putini
REVISÃO: Lindsay Gois
DESIGN DE CAPA: Jennifer Heuer

Texto de acordo com as normas do Novo Acordo Ortográfico da Língua Portuguesa (1990), em vigor desde 1º de janeiro de 2009.

Dados Internacionais de Catalogação na Publicação (CIP)

Chris Zook
A mentalidade do fundador: the founder's mentality: a chave para sua empresa enfrentar as crises e continuar crescendo
Chris Zook, James Allen ; tradução de Ada Felix.
Barueri, SP: Novo Século Editora, 2016.

Título original: The founder's mentality: how to overcome the predictable crisis of growth

1. Negócios – Crescimento 2. Liderança 3. Administração de empresas 4. Planejamento estratégico 5. Desenvolvimento organizacional
I. Título II. Allen, James III. Felix, Ada

16-0679   CDD-658.406

Índice para catálogo sistemático:
1. Administração de empresas : Desenvolvimento organizacional 658.406

Alameda Araguaia, 2190 – Bloco A – 11º andar – Conjunto 1111
CEP 06455-000 – Alphaville Industrial, Barueri – SP – Brasil
Tel.: (11) 3699-7107 | Fax: (11) 3699-7323
www.gruponovoseculo.com.br | atendimento@gruponovoseculo.com.br

SUMÁRIO

APRESENTAÇÃO 7

PREFÁCIO 9
O paradoxo do crescimento

CAPÍTULO 1 23
Founder's Mentality
A chave do crescimento sustentável

CAPÍTULO 2 53
As três crises previsíveis do crescimento
Como empresas espetaculares perdem o rumo

CAPÍTULO 3 87
Combater o overload
Como usar a Founder's Mentality para vencer o caos do alto crescimento

CAPÍTULO 4 113
Reverta a estagnação
Como reaver a magia da empresa quando o crescimento desacelera

CAPÍTULO 5 137
Como conter a queda livre
Usando a Founder's Mentality para salvar uma empresa em rápido declínio

CAPÍTULO 6 167
Um plano de ação para líderes
Como infundir a Founder's Mentality em todos os níveis da organização

NOTAS 201

APRESENTAÇÃO

Muitas vezes tentei imaginar como foi aquele 23 de dezembro de 1971 na sede da AMRIGS.

Sei que a primeira Unimed havia nascido em Santos em 1967, assim como sei que 30 médicos sonhadores decidiram criar a cooperativa em Porto Alegre.

Mas gostaria de ter presenciado, de fato, aquela reunião onde esses fundadores materializaram suas inspirações profissionais e pessoais e criaram a Unimed Porto Alegre.

A força de empreendedores cria soluções para o mercado, gera empregos, fortalece as comunidades, dinamiza as sociedades.

A verve cooperativa nutre o auxílio mútuo, consagra ideais coletivos e empreende através da equidade, da confiança e do trabalho de cada cooperado.

A união da potência empreendedora com a filosofia cooperativista é capaz de gerar empresas sólidas, autossustentáveis e, às vezes, imbatíveis.

Muitas empresas chegam aos 50 anos de vida. Nem todas, entretanto, conservam a mentalidade de seus fundadores e desfrutam, no cinquentenário, de liderança de mercado, reputação ilibada, preferência maciça dos clientes, solidez financeira, pujança econômica.

A Unimed Porto Alegre tornou-se uma grande cooperativa e uma grande empresa. Destaca-se regionalmente, nacionalmente, em seu setor de atividade e no grande Sistema Unimed. Sua realidade, hoje, pode transbordar de orgulho aqueles 30 fundadores e significar, para todos os atuais cooperados, o mesmo ideal que moveu os signatários da ata de fundação da cooperativa.

Este livro, *A mentalidade do fundador*, simboliza o poder desta verdadeira força-motriz. A energia do fundador, como demonstram didaticamente seus autores, é o motor do crescimento das empresas.

Sua visão de negócios audaciosa, sua +obsessão com a qualidade do produto, do serviço e do atendimento, seu cuidado com os custos e sua atenção ao cliente sintetizam o que se chama "cabeça de dono".

Ao crescer, a maioria das empresas vai perdendo esta "cabeça de dono" e torna estas organizações mais burocráticas, mais distantes dos clientes, menos atentas a custos e despesas. Diluem a filosofia empresarial que dava foco e energia à empresa.

Hoje, no setor de saúde suplementar, a Unimed Porto Alegre convive com uma consolidação de empresas agressiva, com um ambiente de extrema competição e com a necessidade urgente de reduzir sinistralidade, combater ineficiências e defender um mercado conquistado duramente em seus primeiros 50 anos.

Precisa manter a excelência no atendimento e a elevada satisfação de seus beneficiários.

É essencial que a mentalidade dos fundadores esteja presente no dia a dia de todos os cooperadores e colaboradores. Esta é a energia vital que pode criar e entregar ainda mais valor a esta grande empresa e grande cooperativa.

CARLOS ALBERTO VARGAS ROSSI

Consultor de Planejamento Estratégico da Unimed Porto Alegre, Doutor em Administração pela USP, Conselheiro de Administração, Consultor Empresarial e Professor Titular da Escola de Administração da UFRGS até 2017

PREFÁCIO
O PARADOXO DO CRESCIMENTO

Crescimento traz complexidade – e a complexidade é a exterminadora silenciosa do crescimento. Esse paradoxo explica por que, de cada nove empresas, somente uma foi capaz de sustentar um crescimento rentável acima de padrões minimamente aceitáveis na última década, e por que 85% dos executivos atribuem o pífio resultado a causas internas, não a fatores externos fora de seu controle.[1] As raízes do desempenho forte e sustentado estão na própria empresa – e é possível prevê-las.

Se olharmos bem, sempre acharemos duas tramas interligadas em qualquer caso de sucesso ou fracasso empresarial. A primeira, e a mais visível delas, é a externa. É a narrativa que se desenrola no mercado sob a forma de balanços trimestrais, de retornos a investidores, de mudanças na participação de mercado e de crescimento rentável. É a história mais fácil de acompanhar e é aquela que a maioria dos interessados – conselhos de administração, investidores, imprensa, público – opta por seguir. É a história de como uma empresa vence no mundo lá fora ao bater as concorrentes na satisfação do cliente.

A segunda trama transcorre *dentro* da empresa. É bem menos visível. É a história da criação do negócio, da ampliação e da retenção de uma força de trabalho qualificada, do fortalecimento da cultura, da modernização de sistemas, das lições aprendidas com a experiência, da adaptação do modelo de negócios, do controle de custos e da mobilização do pessoal para que tudo saia perfeito, vez após vez.

Tem empresa que brilha no plano externo mas cambaleia no interno; outras vão mal no plano externo mas se superam no interno. Para vencer, no entanto, a empresa precisa se destacar nas duas arenas. As duas tramas devem convergir. Não há como manter um crescimento rentável num mercado disputado se internamente a empresa for um desastre – e não há como sustentar por muito tempo uma cultura interna de alto desempenho se a empresa estiver fazendo água no mercado.

Já escrevemos quatro livros sobre como ganhar o jogo externo da estratégia, o primeiro deles *Lucro a partir do core business*. Dessa vez, o assunto é outro – é o jogo interno da estratégia. Este livro é sobre como uma empresa, tanto jovem como madura, pode evitar o que chamamos de as três crises internas do crescimento.

AS PREVISÍVEIS CRISES DO CRESCIMENTO

Cada uma das três crises que identificamos ocorre numa fase distinta da vida da empresa.

A primeira crise, a do *overload*, ou sobrecarga, surge da combinação de disfunção interna e perda de embalo externo enfrentada pela equipe gestora de uma empresa jovem e em rápido crescimento no afã de imprimir escala ao negócio.

A segunda crise, a do *stall-out*, ou desaceleração, refere-se à repentina letargia que acomete muita empresa de sucesso quando o crescimento acelerado multiplica a complexidade organizacional e dilui a missão clara que dava foco e energia à empresa. Essa desaceleração é um momento desnorteante para a empresa: o pedal acelerador do crescimento já não responde como antes e rivais mais jovens e ágeis começam a ganhar terreno. A maioria das empresas que desacelera nunca se recupera por completo.

A terceira crise, a da queda livre, ou *free fall*, é a mais perigosa para a sobrevivência. Uma empresa em queda livre simplesmente parou de crescer em seu principal mercado – em seu *core*. O modelo de negócios, até bem pouco a razão do sucesso, de repente já não soa viável. Para a empresa em queda livre, o tempo parece curto. A equipe gestora sente que perdeu o controle. Não consegue descobrir a causa da crise e não sabe que comandos acionar para sair dela.

Para empresas que avançaram sem problemas do momento da fundação à fase inicial de crescimento, essas três crises são os períodos de maior risco e nervosismo. A boa notícia é que é possível prevê-las – e, em geral, evitá-las. É possível antever, e até converter em argumento construtivo para a mudança, os exterminadores do crescimento que cada crise dessas embute.

A MENTALIDADE DO FUNDADOR, OU "THE FOUNDER'S MENTALITY"

Nossa argumentação nas páginas a seguir é fundada em duas verdades simples, mas profundas. A primeira é que, por mais diferenças que possua, a maioria das empresas que cresce de forma sustentada partilha uma série comum de atitudes e comportamentos, em geral associados a um fundador arrojado e ambicioso que "acertou em cheio" lá no começo. Empresas que conseguiram crescer de forma rentável e preservar os traços internos da mentalidade do fundador – traços que permitiram esse sucesso em primeiro lugar – em geral se veem como insurgentes. Em nome de um cliente subatendido, declaram guerra ao setor e a suas normas ou simplesmente fundam um setor totalmente novo. São empresas com foco e senso de missão claros, que todo trabalhador entende e com os quais se identifica (um forte contraste com a empresa média, na qual só dois de cada cinco funcionários dizem ter ideia de qual é a missão da empresa[2]). Uma empresa tocada dessa forma tem o especial poder de inspirar em sua gente um forte senso de responsabilidade pessoal (na empresa média, apenas um de cada cinco funcionários professa envolvimento emocional[3]). Essas empresas abominam a complexidade, a burocracia e tudo o que impeça a eficaz execução da estratégia. São obcecadas com os detalhes do negócio e celebram o pessoal na linha de frente, que interage diretamente com o cliente. Essas atitudes e esses comportamentos, quando somados, geram um estado de espírito que é um dos maiores e mais subestimados segredos do sucesso empresarial.

É o que chamamos de "Founder's Mentality" – A mentalidade do fundador.

A mentalidade do fundador é uma tremenda fonte de vantagem competitiva para uma empresa jovem que decide medir forças com rivais maiores, já estabelecidas, dotadas de mais recursos. Missão insurgente, cabeça de dono e obsessão com a linha de frente são os três grandes traços dessa mentalidade – e podem ser vistos em sua mais pura expressão em empresas comandadas pelo fundador ou onde a influência dessa figura segue nitidamente viva em princípios, normas e valores que norteiam as decisões e a conduta do pessoal no dia a dia.

Nossas análises, sondagens e entrevistas (veja, ao final, o quadro sobre a pesquisa que fundamentou esse livro) revelaram uma forte relação entre os traços da mentalidade do fundador e a capacidade de sustentar o desempenho no mercado, nas bolsas e no embate com concorrentes – e isso em empresas de tudo quanto é categoria, não só em start-ups. De 1990 para cá, descobrimos que em companhias de capital aberto nas quais o fundador segue atuante o retorno ao acionista é três vezes maior do que nas demais (veja a figura

P-1).⁴ Nas que se destacam de forma mais reiterada, os atributos da mentalidade do fundador são de quatro a cinco vezes mais visíveis do que nas de pior desempenho.⁵ Além disso, das empresas que registram uma década de crescimento sustentado e rentável – cerca de uma a cada dez –, quase dois terços são regidas pela mentalidade do fundador. São números impressionantes.

FIGURA P-1

Empresas lideradas pelo fundador superam as demais

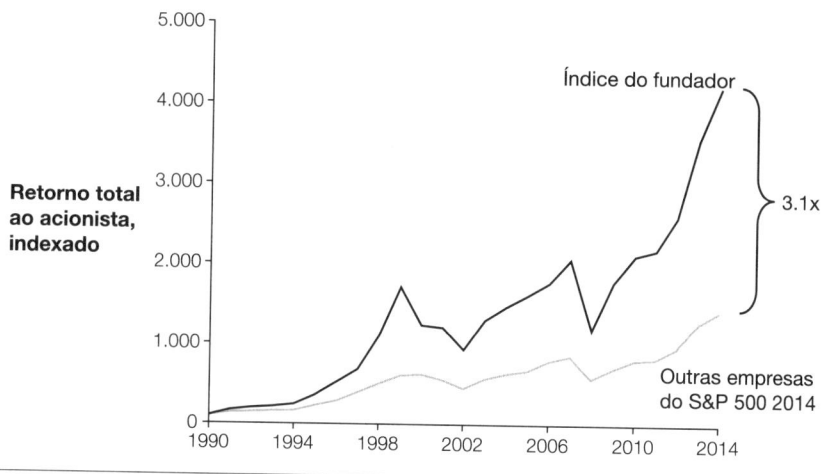

É muito comum, no entanto, a empresa perder a mentalidade do fundador ao ir crescendo. A corrida para crescer e ganhar escala aumenta a complexidade organizacional, cria mais processos e sistemas, dilui o senso de insurgência e torna difícil manter um quadro de talentos qualificado como o do começo. Profundos e sutis, esses problemas internos levam, por sua vez, à deterioração no plano externo. Uma sondagem que fizemos com 325 executivos mundo afora mostra que, na percepção de dirigentes, a influência da mentalidade do fundador nas operações da empresa cai à medida que o porte cresce (veja a figura P-2).

FIGURA P-2

Executivos associam declínio da mentalidade do fundador a porte maior

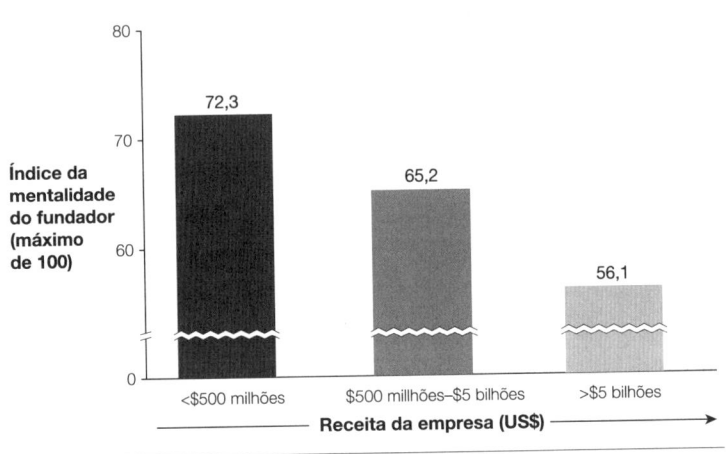

Que outra explicação haveria para o tombo levado por empresas que, a certa altura, dominaram um setor e pareciam ter tudo para triunfar, incluindo um mercado em expansão, dinheiro de sobra para investir, tecnologias exclusivas, marcas fortíssimas e liderança em seus canais? Estamos falando de empresas como a Nokia, que nos anos 1990 reinava no mercado de celulares. Calculamos que, naquela década, mais de 90% do lucro mundial desse mercado estava nas mãos da empresa, que parecia ter tudo para seguir na liderança por anos a fio. A Nokia vinha, inclusive, adotando muitos dos elementos da geração seguinte de smartphones: tinha tecnologia para criar uma das primeiras telas touchscreen do mercado, era a líder mundial na venda de pequenas câmaras, sabia distribuir música e foi uma das primeiras a lançar um celular com e-mail grátis. Mas, asfixiada pelo próprio crescimento e pela crescente complexidade da organização, não conseguiu aproveitar as vantagens que detinha e sair à frente no desenvolvimento da nova geração de celulares – apesar dos apelos de seus próprios engenheiros.

Nada disso resultou da falta de recursos ou de oportunidades. A Nokia liderava um mercado em crescimento explosivo, um dos maiores já vistos, e tinha um dos maiores caixas da história. Mas, em vez de pensar como insurgente e investir no futuro, saiu distribuindo dividendos de 40% e usou a folga de caixa para recomprar grandes volumes das próprias ações. Em questão de anos, Apple, Samsung e Google tinham dominado o mercado de smartphones. Já a Nokia – que fora um modelo de inovação e insurgência – estava em franco declínio. Um membro do conselho, quando entrevistado sobre a derrocada, culpou fatores internos, e não a ação da concorrência. E, sem rodeios, concluiu: "Demoramos demais a agir".[6]

Ao estudar crises de crescimento, volta e meia topamos com empresas como a Nokia – empresas que, para um observador externo, pareciam ter tudo (posição no mercado, marca, tecnologia, base de clientes, enormes recursos financeiros), mas acabaram deixando tudo escapar de modo impressionante, por não ter conseguido jogar o jogo interno. Mas também encontramos muita história marcante e inspiradora de natureza oposta (várias delas aparecem nesse livro), de empresas que, olhando de fora, pareciam não ter qualquer esperança, mas que foram revividas por líderes que praticamente refundaram o negócio em seu interior.

Uma dessas é a DaVita, que em 1999 parecia caminhar para a falência e que, hoje, virou uma das empresas de saúde de melhor desempenho nos Estados Unidos. Desde que Kent Thiry assumiu o comando e revelou publicamente a extensão dos problemas da empresa, o preço das ações (ajustado para desdobramentos) se multiplicou por 100 e seu valor de mercado subiu de quase zero para US$ 15 bilhões. Thiry, que passados quase 16 anos ainda é o CEO, iniciou essa transformação reenergizando a empresa internamente com a mentalidade do fundador; mais adiante no livro, contaremos em detalhe como isso ocorreu.

COMO FOI FEITA A PESQUISA

Este livro reúne anos de pesquisa e análise. Tudo começou com a observação de que, no mundo todo, o crescimento rentável estava ficando mais difícil e mais fugaz e que, de cada dez empresas, só uma consegue manter a proeza por mais de uma década. Para confirmar essa observação, montamos na Bain & Company um banco com dados de toda empresa listada em bolsas ao redor do mundo, com informações sobre seu desempenho nos últimos 25 anos. Em seguida, examinamos uma relação de empresas que tinham conseguido manter o crescimento rentável a longo prazo e descobrimos, entre elas, um grupo desproporcional com a incrível capacidade tanto de manter o foco em oportunidades no *core business* (e em adjacências) como de adaptar e ampliar esse *core* para buscar um novo crescimento. Quando examinamos de perto essa lista de ases da adaptação, descobrimos que eram, em sua maioria, empresas cujo fundador continuava no comando (Oracle, Haier, L Brands) ou atuava no conselho de administração – ou, mais importante ainda, onde o foco e os princípios que o fundador instituíra ao criar a empresa seguiam vigentes, pois esse fundador tinha acertado quase em cheio já de partida (caso da IKEA, ou da Enterprise Rent-a-Car). Calculamos o retorno ao acionista em empresas cuja conexão com o fundador era viva, analisamos os atributos dos casos mais duráveis de sucesso e descobrimos que essa hipótese era mais do que confirmada. Para entender por que, saímos em campo.

Primeiro, falamos com mais de cem executivos do mundo todo sobre barreiras que, a seu ver, impediam o crescimento. Paralelamente, lançamos na Bain a iniciativa DM100 – um projeto focado em jovens empresas em mercados em desenvolvimento que, em geral, tinham chegado a mais de US$ 200 milhões em receitas e cujas perspectivas de crescimento a longo prazo eram promissoras. A maioria dos executivos com quem falamos em nossas andanças e nos workshops da DM100 disse que a incapacidade de crescer tinha causas internas, e não externas.

Fizemos, em seguida, uma série de pesquisas com executivos globais para confirmar e entender esses entraves ao crescimento. Uma delas envolveu 325 executivos de uma amostra transversal de empresas; outra sondagem foi feita com executivos participantes da DM100 e suas equipes, em 56 empresas. Todas produziram resultados semelhantes: executivos com quem falamos apontavam barreiras internas como a principal razão de muitos de seus desafios de crescimento, embora o obstáculo ao qual davam mais ênfase naturalmente dependia da idade da empresa e de seu estágio de desenvolvimento.

Saímos, então, em busca dos fatores do sucesso que constituem a mentalidade do fundador. Para tanto, fizemos uma série de entrevistas no mundo todo com executivos e fundadores e analisamos um banco com dados de 200 empresas que incluía informações sobre seu desempenho e suas principais práticas (na avaliação de um especialista que conhecia a fundo cada empresa). Esse exame produziu reiteradamente três conjuntos de práticas concretas e atitudes subjacentes, não raro relacionadas à forma como o fundador tinha configurado a empresa lá no começo. Confirmamos e voltamos a discutir esses dados nos workshops da DM100, em conversas com especialistas setoriais da Bain & Company e com dezenas de entrevistas mais formais com altos executivos e, especialmente, fundadores. Indivíduos em toda parte foram generosíssimos com seu tempo e mostraram profundo interesse no assunto. Isso nos permitiu definir os elementos da mentalidade do fundador e começar a entender sua aplicação prática em empresas às voltas com as três crises mais prementes do crescimento.

Por último, fizemos uma série de estudos de caso mais esmiuçados, de empresas que pareciam ter mantido a mentalidade do fundador durante um longo tempo, de empresas que tinham perdido e recuperado essa mentalidade e de empresas que, a bem da verdade, nunca a tiveram. Pegamos exemplos que cobriam uma variedade de lugares no mapa, de setores e graus de maturidade distintos, para tentar descobrir o "como" por trás do "quê". Vasculhamos informações de natureza pública, tivemos acesso privilegiado a toda sorte de executivos e, acima de tudo, mergulhamos intimamente na história de um punhado de fundadores notáveis – que continuam a nos surpreender e a nos inspirar.

POR QUE ESTE LIVRO AGORA

Overload, stall-out e queda livre podem até ser crises previsíveis. Mas este livro é fundado também em uma segunda verdade: há boas soluções para superar cada crise dessas. E superá-las é fundamental: em média, mais de 80% das grandes variações no valor de uma empresa ao longo da vida estão relacionadas a decisões e medidas que a empresa toma – ou não – nesses três momentos de crise.[7]

Além de vital, superar essas crises nunca teve caráter tão urgente. Isso porque o ciclo de vida de empresas – e o metabolismo de setores inteiros – vem acelerando de forma assombrosa. Vejamos um dado: hoje, uma empresa que cresce o suficiente para ingressar no ranking *Fortune* 500 atinge essa escala, em média, duas vezes mais depressa do que 20 anos atrás. E as novas recordistas – as que cresceram com mais rapidez do que todas – estão superando recordes anteriores por uma larga margem.[8] Outro indicador de que empresas jovens estão ganhando poder no mercado mais depressa: em 40% das arenas competitivas, a empresa mais forte – ou seja, aquela com a maior fatia dos lucros do setor e, portanto, a maior capacidade de reinvestir – não é mais a de maior porte.[9] Avanços em tecnologia e a crescente migração do valor para serviços e software, onde escala é menos importante, estão minando a vantagem do tamanho. Isso significa que jovens insurgentes estão ameaçando incumbentes mais cedo do que nunca. E eis outra consequência dessa novidade: uma vez que se tornam, elas mesmas, incumbentes, essas insurgentes estão desacelerando de forma mais rápida e repentina – e tendo mais dificuldade do que nunca para se recuperar.[10]

Essa dobradinha de crescimento ultra-acelerado no começo da vida e desaceleração mais veloz mais adiante provoca um reordenamento mais rápido de posições estratégicas em muitos setores e já levou líderes e suas concorrentes em muitos mercados a trocar de lugar com velocidade assombrosa (veja a figura P-3). É o caso do mercado de aviação, um setor estabelecido, que exige alto capital, e tem barreiras elevadas à entrada e nenhuma tecnologia totalmente disruptiva. Não é um setor no qual, normalmente, se esperaria ver um grande reordenamento estratégico. Mas foi exatamente o que aconteceu nas duas últimas décadas. Se pegarmos a lista das 20 maiores companhias aéreas em 1999 por valor [de mercado] e a compararmos com a de hoje, veremos que mais de metade das líderes do setor mudou, que a quebradeira foi comum e que cerca de metade das empresas que figuravam na lista 16 anos atrás hoje nem independentes são. As companhias aéreas de maior valor do mundo hoje, como a Air China, nem estavam entre as 20 primeiras em 1999. E esse fenômeno não é exclusivo do mercado da aviação comercial civil. Quando entrevistamos executivos de uma variedade de setores, bem mais de metade declarou que, em cinco anos mais, sua principal concorrente não será a mesma de hoje.[11] É prova da rapidez com que jovens empresas podem crescer e se tornar uma potência em seus respectivos setores.

FIGURA P-3

Velocidade maior — na subida e na descida

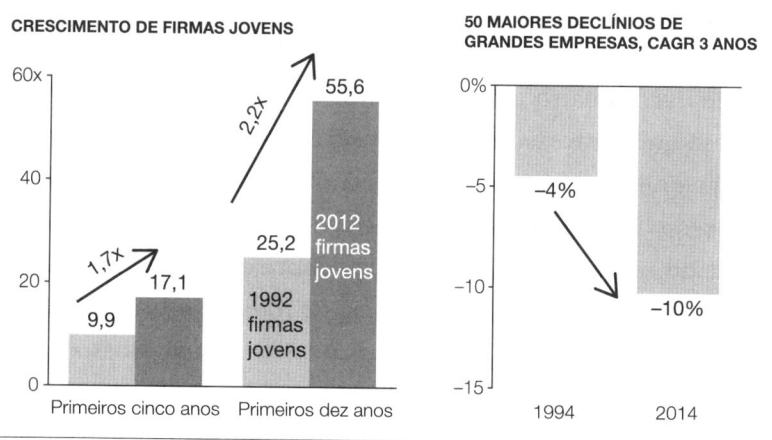

POR QUE ESTE LIVRO É PARA VOCÊ

Escrevemos este livro com um objetivo muito prático em mente: ajudar empresas a achar um meio seguro de atravessar as crises internas do crescimento e, com isso, alcançar um sucesso sustentável. A nosso ver, três leitores vão tirar o máximo proveito das ideias e dos insights aqui apresentados. O primeiro é um membro de equipes de liderança – incluindo fundadores – que esteja lidando diretamente com o desafio de atingir metas de crescimento. Esse grupo inclui aqueles na organização que se reportam à alta equipe executiva, gente que aspira a um papel maior de liderança na empresa e indivíduos em camadas médias que são responsáveis pela implementação da estratégia e a gestão da comunicação entre escalões superiores e inferiores. O segundo leitor é o investidor que está tentando avaliar as perspectivas de crescimento de uma empresa e aferir o grau de dificuldade dos desafios que ela encontrará ao longo do caminho. O terceiro leitor é um membro do conselho preocupado com o ritmo de crescimento ou as perspectivas da empresa. Esse leitor busca um meio de fazer perguntas difíceis sobre o grau de preparo dessa empresa para futuros desafios e obstáculos – mas quer um meio fundamentado em estudos. Nossa pesquisa, nossas conclusões e os casos que usamos para ilustrá-las terão valor para todos esses três leitores: o líder, o investidor e o conselheiro.

Este livro mostra a melhor maneira de manter crescendo uma empresa que atravessou com sucesso a fase inicial, de start-up, sem perder a energia, o foco e a obsessiva atenção ao cliente – as razões de seu sucesso inicial, diga-se de passagem. É, em outras palavras, diferente do recente tsunami de livros sobre os segredos de start-ups. Se for isso que o leitor procura, sugerimos títulos como *A start-up enxuta*, de Eric Ries, ou *De zero a um*, de Peter Thiel. Nosso livro também difere de obras cujo foco é a dinâmica inicial de start-ups ou de empresas comandadas pelo fundador, seja ele um indivíduo, seja um clã. O leitor interessado nesse assunto deveria partir com *The Founder's Dilemmas*, de Noam Wasserman, que pode bem ser a obra definitiva sobre o tema, e avançar a partir daí.

Nossa carreira é dedicada a ajudar dirigentes empresariais a encontrar a onda seguinte de crescimento rentável. Às vezes, ajudamos empresas jovens se debatendo com um excesso de oportunidades de crescimento, às vezes ajudamos empresas maduras a encontrar maneiras de evitar o *stall-out* – a desaceleração – e, às vezes, ajudamos empresas em queda livre a redefinir completamente seu modelo de negócios. Recordamos cada experiência dessas com enorme respeito pelos líderes no centro da ação, que enfrentam pessoalmente esses desafios. As ideias apresentadas neste livro são oferecidas com muita humildade, mas também com confiança e otimismo. Não são um elixir mágico. Mas são fundamentadas nas lições que aprendemos com o estudo meticuloso de algumas das empresas e de alguns dos líderes de maior sucesso do mundo – e acreditamos piamente que a maioria das empresas às voltas com crises de crescimento pode aplicar os princípios da mentalidade do fundador, conforme definida neste livro, para aumentar imensamente suas chances de sucesso.

COMO É ORGANIZADO ESTE LIVRO

Este livro é organizado em torno dos atributos da mentalidade do fundador, e como cada um deles pode ajudar toda e qualquer equipe de gestão a entender e enfrentar as três crises previsíveis do crescimento.

No capítulo 1, vamos definir a mentalidade do fundador, mostrar como ela interage com o processo de crescimento e apresentar as três crises previsíveis do crescimento. No capítulo 2, vamos explorar forças que provocam essas crises e mostrar seu papel na criação ou na destruição de valor ao longo da vida de uma empresa. Em seguida, dedicaremos um capítulo a cada uma das três crises: a do *overload* (ou sobrecarga) no capítulo 3, a do *stall-out* (ou desaceleração) no capítulo 4, e a da queda livre no capítulo 5. Por último, no capítulo 6, vamos explorar a ideia da insurgência com escala como modelo para alcançar um crescimento sustentável. Concluiremos com uma discussão das lições que nosso trabalho sobre a mentalidade do fundador traz para líderes em todos os níveis de uma organização.

Embora a pesquisa seja o alicerce deste livro, é com histórias que fomos erguendo o edifício: histórias que, a nosso ver, refletem as ideias e as lições mais práticas de nossa pesquisa, histórias de superação das crises do crescimento por certos líderes, histórias de decepções que poderiam ter sido evitadas, histórias de renovação. Observamos algumas das equipes de liderança mais eficazes do mundo em ação, e esse pessoal foi bem franco ao falar conosco sobre o que deu certo ou não em seu caso. Graças a esse acesso, nosso leitor poderá ter uma visão aprofundada do que é a mentalidade do fundador e ver como empresas de tudo quanto é natureza conseguiram vencer o paradoxo do crescimento ao usar a mentalidade do fundador como a base de tudo o que fazem. Nossa esperança é que este livro ajude líderes no mundo todo a infundir uma mentalidade do fundador por toda a sua organização e a adquirir domínio no jogo interno da estratégia para poder controlar o destino da empresa em um futuro incerto. Ao fim e ao cabo, este livro trata de como enfrentar as necessidades prementes do futuro – um futuro que, mais do que nunca, premia a velocidade, a mente aberta, a motivação humana e a adaptabilidade.

Para começar, vejamos a história de um dos grandes fundadores de nossos tempos.

CAPÍTULO 1

FOUNDER'S MENTALITY
A CHAVE DO CRESCIMENTO SUSTENTÁVEL

Todo grande fundador tem uma história a contar sobre a origem da empresa. No caso de Leslie Wexner, essa história começa em 1963. Foi lá que o rapaz, então com 25 anos, decidiu que podia criar um negócio de varejo que daria resultados melhores do que a loja tocada pelos pais.

Wexner nascera e crescera em Dayton, no estado americano de Ohio. Era filho de Harry Wexner, um imigrante russo que ali chegara fugindo da perseguição aos judeus. O pai, que nunca aprendeu a escrever em inglês, começou como empacotador numa loja de departamentos em Chicago, virou encarregado do estabelecimento, foi vitrinista e chegou a gerente; a mãe, Bella Cabakoff, partiu como auxiliar administrativa na loja de departamentos Lazarus e terminou sendo a compradora mais jovem da casa. Apesar de trabalhar de sol a sol, o casal nunca conseguiu ganhar mais de US$ 9 mil em um ano. "Não tínhamos absolutamente nada de dinheiro", lembra Wexner. "Zero." Em 1951, o casal resolveu tentar a sorte por conta própria, abrindo uma loja num ponto de apenas quatro metros de frente. O estabelecimento foi chamado de Leslie, como o filho. Mas a situação dos dois não melhorou muito.

Wexner, que estudou administração na Ohio State University, ficava inconformado. Como é que os pais, que estavam sempre na labuta, não conseguiam melhorar de vida? O rapaz descobriu parte da explicação quando, ao terminar a faculdade, foi ajudar os pais na loja e lá topou com um maço de faturas. Ao estudar a papelada, viu que os pais enchiam o lugar de itens caros – vestidos, casacos –, cuja margem de venda era menor. Já as mercadorias vendidas com margem maior e que mantinham a loja no azul eram artigos de preço mais em conta, como camisas, saias e calças. Para Wexner, a solução era óbvia: vender mais da mercadoria que dava mais retorno. Animado, foi apresentar a ideia ao pai – que, longe de impressionado, mandou o filho ir buscar outro trabalho.

Wexner foi. Convencido de que teria sucesso, abriu o próprio negócio: uma loja de roupas voltada ao público feminino no Kingsdale Shopping Center, um centro comercial na cidade de Upper Arlington, Ohio. Em contraste com o comércio dos pais, que vendia tudo quanto é tipo de roupa, sua loja teria um sortimento limitado e só trabalharia com o que vendesse bem. Wexner chamou a loja de The Limited.

Para abrir o negócio, pediu ajuda a uma tia, que emprestou US$ 5 mil ao sobrinho. Com essa soma de garantia, Wexner pegou um empréstimo de US$ 10 mil num banco e foi trabalhar. Não estava para brincadeira. Crente de que a ideia daria certo, assinou o contrato de aluguel de um segundo ponto e se endividou em mais de US$ 1 milhão antes mesmo de abrir a primeira loja. Apostara todas as fichas e sabia bem o que estava em jogo. "Com US$ 1 milhão em dívida e nenhum capital próprio, sentia que havia um urso no meu encalço e que, se eu parasse um segundo, seria devorado", contou. "Se não desse certo, seria a falência mais notória de Ohio."

No primeiro ano, a The Limited faturou US$ 160 mil. Não foi o bastante para aplacar a ansiedade de Wexner, mas o suficiente para manter o negócio de pé um pouco mais. Apesar da situação financeira precária, Wexner embarcou num plano ambicioso de crescimento: nos cinco anos seguintes, inaugurou uma loja por ano. Todas vingaram, em grande parte por sua garra. "Eu sentia que venceria se desse mais duro do que meus concorrentes", disse. "Se eles trabalhassem 12 horas por dia, eu trabalharia 16. Estava decidido a garantir que todo mundo saísse da loja com um motivo para voltar. Pensava: *Não temos muito dinheiro, não temos muitas lojas, mas pelo menos tenho entusiasmo.* Dá para dizer que era uma paixão pelo sucesso."

Outra razão para o êxito de Wexner naqueles primórdios foi o foco inarredável na linha de frente. "Eu tratava todo cliente como um amigo", disse. Wexner decidiu que, se a pessoa não gostasse do que tinha comprado, podia devolver o artigo e receber o dinheiro de volta, prática nada comum à época – e que seu pai considerou um desatino. Mas Wexner seguiu firme. Além disso, desde o início incutiu na The Limited um senso de personalidade e propósito. A seu ver, a The Limited existia para satisfazer as necessidades de um cliente bem específico: a mulher inteligente, forte, moderna e independente, simbolizada por Jenny Cavalleri, a cultuada personagem da atriz Ali McGraw no filme *Love Story – Uma História de Amor*. "Criei minha loja em torno da imagem de uma mulher como ela e do que ela gostaria de vestir", disse.

Em 1969, com seis lojas bem-sucedidas em operação, Wexner resolveu fazer outra aposta nada convencional: abrir o capital da The Limited. A oferta de ações daria ao pessoal a oportunidade de ter participação de verdade na empresa e passar a pensar como ele, com cabeça de dono. Ridicularizada à época, a decisão se provou acertada. Quem tivesse investido US$ 1 mil na The Limited quando o capital foi aberto teria, hoje, uma participação avaliada em US$ 60 milhões.

A L Brands, como a empresa é chamada atualmente, tem hoje 100 mil funcionários. Embora tocar o negócio traga desafios complexos de gestão, ao enfrentar cada um deles Wexner e a equipe gestora seguem focados como nunca na missão e nos ideais lá do começo. "Eu sabia que precisávamos virar uma empresa grande para poder competir economicamente", disse. "Mas, acima de tudo, queria erguer uma empresa boa, com um propósito especial e valores claros." Na busca dessa meta, Wexner aprendeu uma lição importante com a leitura de um livro do cineasta Sidney Lumet, *Fazendo Filmes*. "É preciso pensar em todos os talentos criativos na hora de fazer um filme", explica, "[em] designers, atores, produtores, diretores, figurinistas, músicos. Mas, quando vemos um grande filme, é tudo coeso, como se uma única pessoa tivesse feito tudo. Grandes marcas têm essa personalidade coesa e dão atenção a detalhes coerentes".

Nas décadas transcorridas desde que Wexner fundou a The Limited, seus negócios foram de sucesso em sucesso. Hoje na presidência da L Brands, Wexner é o CEO mais longevo de uma grande empresa do ranking *Fortune* 500 na América do Norte. Nos últimos 52 anos, transformou em sucesso não só a The Limited, mas a Express, a Bath & Body Works, a Abercrombie & Fitch, a Henri Bendel, a La Senza e – a joia da coroa no momento – a Victoria's Secret. No processo, garantiu um retorno de quase 20% ao ano aos investidores e alçou o valor de mercado da L Brands a aproximadamente US$ 28 bilhões. Em grande medida, triunfou porque pensa e age como um insurgente. "Se parar para sentir o perfume das rosas, vem um caminhão e te atropela", disse. "Sucesso não traz automaticamente mais sucesso. O mais difícil é seguir alerta e manter o pique ao ir vencendo e crescendo. Por isso, me recuso a aceitar o fato de que sou maduro ou de que a empresa é madura. Assim que aceita isso, você começa a morrer."[1]

FOUNDER'S MENTALITY: TRÊS TRAÇOS DISTINTIVOS

Leslie Wexner e sua equipe na L Brands exalam a mentalidade do fundador. Respiram dia e noite sua missão insurgente. Por mais que cada empresa do grupo tenha crescido, seguem obcecados com a linha de frente, sempre conscientes de que os detalhes ali fazem toda a diferença. E têm cabeça de dono – um forte senso de responsabilidade por todo funcionário, cliente, produto e decisão.

Esses três traços – *missão insurgente, obsessão com a linha de frente* e *cabeça de dono* – são os principais atributos da mentalidade do fundador e nossa pesquisa mostra que cultivar assiduamente cada um deles conduz ao sucesso (veja a figura 1-1).

Na próxima seção, vamos mostrar como três fundadores incutiram esses traços na empresa logo no comecinho e conseguiram preservá-los à medida que o negócio foi crescendo. Nossa tese aqui é simples, mas importante: a mentalidade do fundador não precisa se esvair à medida que o tempo passa e a empresa envelhece, nem desaparecer quando o fundador se aposenta ou morre; essa mentalidade pode ajudar empresas de toda idade e porte a atingir um crescimento sustentável. Nossa opção por contar aqui a história de fundadores se deve simplesmente ao fato de que, nessas histórias, encontramos a mais pura e duradoura expressão da mentalidade do fundador.

FIGURA 1-1

Os traços distintivos da mentalidade do fundador

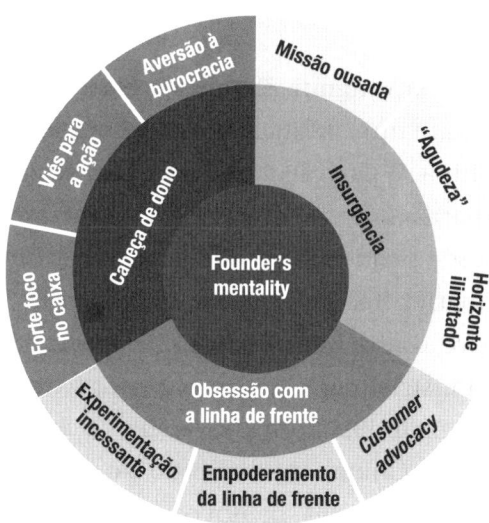

Uma missão insurgente

O primeiro componente da mentalidade do fundador é o senso de missão insurgente. Como dissemos na introdução, alguns dos fundadores de maior sucesso comparam a fase inicial do empreendimento a uma guerra com o setor em nome de clientes que não vinham sendo bem-atendidos. É por isso que, no começo, Wexner fazia as reuniões da empresa no que chamava de "sala de guerra". Outros fundadores disseram que seu propósito era redefinir as regras do respectivo setor. E, para outra leva, insurgência é criar um mercado totalmente novo, como a SpaceX está fazendo com viagens espaciais ou como a Netflix fez na TV via streaming. Em geral, a missão insurgente emana do fundador da empresa – ainda que em muitos dos casos realmente sustentáveis essa missão acabe lançando raízes pela empresa toda e durando bem mais do que o próprio fundador. Vejamos em mais detalhe os componentes da insurgência usando o exemplo da chinesa Yonghui Superstores, uma empresa do setor supermercadista que é dirigida pelos fundadores, cresce rápido e está fazendo concorrência a rivais de maior porte, incluindo o Walmart.

Os fundadores da Yonghui, Zhang Xuansong e Zhang Xuanning, são irmãos e tiveram uma infância humilde na zona rural de Fujian, no sudeste da China. O pai trabalhava na construção civil nas redondezas e a mãe, para ajudar no orçamento, processava folhas de chá e fazia bolos. Desde pequenos, os dois a ajudavam nessa tarefa. Inspirados pela experiência, em meados da década de 1980 os irmãos abriram um mercadinho que vendia cerveja de produção local e a típica comida industrializada. Em pouco tempo, tinham cinco lojas pequenas. Até que, em 1999, uma novidade – a chegada dos primeiros hipermercados à China – mudou tudo para os irmãos.

Para os padrões chineses, os novos estabelecimentos eram gigantes. Tinham mais de dez mil metros quadrados e vendiam de produtos industrializados a frutas e verduras – como qualquer supermercado tradicional. Curiosos, os irmãos começaram a investigar como as lojas eram operadas. Aos poucos, decidiram que podiam fazer melhor. Viram, por exemplo, que a margem bruta dos hipermercados na venda de hortifrútis, comprados de distribuidores, era de cerca de 17%. Por que não eliminar os atravessadores, pensaram, e comprar direto do produtor? Com isso, daria para mais do que dobrar a margem bruta e, ao mesmo tempo, estabelecer parcerias com agricultores locais para levar produtos mais frescos ao consumidor, e com mais agilidade. Começaram a imaginar um modelo híbrido: lojas grandes, limpas e climatizadas como um hipermercado, mas com uma cadeia de suprimento em contato direto com o produtor para vender hortifrútis a custo menor e qualidade maior. Decidiram testar a ideia. Em 2000, abriram a primeira loja, a Yonghui Pingxi Fresh Product Supermarket. Foi um sucesso instantâneo.

Com os bons resultados, foram abrindo mais estabelecimentos, aumentando ainda mais sua vantagem na cadeia de suprimento. A dupla estava disposta, por exemplo, a pagar o produtor rural em dinheiro, algo que grandes redes não faziam. Além disso, fazia acordos com agricultores locais para adquirir sua produção inteira e garantia o pagamento de um preço mínimo em anos de safra recorde – algo importantíssimo para o agricultor.

Em tudo o que faziam, os irmãos agiam com um senso de missão insurgente, travando uma guerra em nome do consumidor negligenciado, que no caso da Yonghui era a "mãe" chinesa. "Produtos frescos, seguros e de bom preço para a mãe chinesa" é a declaração de missão da empresa hoje. Xyansong nos explicou a ideia: "Para honrar essa missão", disse, "precisamos dedicar o máximo de atenção à cadeia de suprimento e comprar alimentos da mais alta qualidade dos fornecedores de maior confiança. Seria de supor que isso fosse óbvio para todos; o que mais pesa e mais nos diferencia é, no final, nossa cadeia de suprimento. É aí que devemos ter a máxima excelência". Mas não é tarefa fácil, continuou, sobretudo numa empresa complexa e em acelerado crescimento, num país que cresce rápido e num setor que, além de produzir sem parar novas concorrentes, passa por grandes mudanças em canais e formatos de entrega devido à internet e a tecnologias móveis digitais.

O segredo do sucesso, contou a dupla, foi manter o foco inarredável na essência da insurgência à medida que iam crescendo e dar especial atenção àquilo que diferenciava a empresa. "Quando era menino", diz Xyansong, "tinha uma jogadora de vôlei formidável que ajudou [a China] a levar a medalha nas Olimpíadas de 1984. Seu nome era Lang Ping e a apelidaram de 'martelo de ferro'. Era conhecida pela cortada [*spike*, em inglês]; se fizessem uma boa levantada, ela marcava o ponto. Em nosso negócio, um papel importante que meu irmão e eu exercemos é lembrar o pessoal que nossa cadeia de suprimento é como a Lang Ping. Se dermos uma cortada, ganhamos. Estamos convencidos de que, como líderes e fundadores, essa [combinação de] foco e atenção é a contribuição mais importante que podemos dar. Um líder deve manter as coisas simples e focadas, sobretudo no meio turbulento e cheio de distrações no qual competimos atualmente".

Até aqui, está funcionando. A seção de hortifrúti da Yonghui, seu *core*, fez tanto sucesso, que hoje responde por cerca de 40% dos resultados do supermercado (quando nas rivais é menos de 20%). Nos últimos cinco anos, a Yonghui cresceu a um ritmo anual de 32%. A empresa tem hoje mais de 300 estabelecimentos e um faturamento rentável de US$ 5 bilhões.

As insurgências mais espetaculares têm vários atributos que se reforçam mutuamente. Um deles é uma *missão ousada* como a que promoveu o fenomenal crescimento da Yonghui. Outro é a *agudeza*, ou *spikiness*: a ênfase constante naquilo que diferencia a empresa e a torna única. Outro, ainda, é a ideia de um *horizonte ilimitado*: a tese de que uma empresa de tremendo sucesso pode astutamente expandir as fronteiras do seu *core* cada vez mais. É algo particularmente visível na trajetória de empresas que mantiveram o foco e o vigor insurgentes mesmo ao atingir grande escala – empresas como IKEA e Apple.

Uma missão insurgente clara dá foco e propósito à empresa tanto no plano interno como no externo. E produz o máximo impacto quando incorporada a sistemas de gestão do pessoal, à publicidade, aos recursos de produtos e ao foco no cliente para que se torne concreta e norteie as decisões que moldam a empresa – ao ajudar a definir quem contratar e quem promover, que fornecedores escolher e que investimentos fazer. Uma grande declaração de insurgência salta imediatamente aos olhos do público ao qual se destina. A missão do Google – "organizar todas as informações do mundo" – é captada imediatamente com sua ambiciosa simplicidade. A CavinKare, uma fabricante indiana de bens de consumo cuja receita já foi multiplicada por quase oito de 2000 para cá, ergueu a marca e a linha de produtos em torno do seguinte princípio básico: "O cidadão comum deveria ter acesso a tudo o que um rico tem". A IKEA é um exemplo especialmente bom do duradouro poder de uma grande missão insurgente. Fundada em 1943 e ainda controlada pela família fundadora – agora já na terceira geração –, a empresa tem hoje 150 mil funcionários. Mesmo assim, segue basicamente fiel à missão inicial, originalmente articulada num documento intitulado "Testamento de um Comerciante de Móveis". Essa missão – "oferecer uma ampla linha de móveis e artigos para o lar com bom desenho e funcionalidade a preços tão baixos que o maior número possível de pessoas possa comprá-los" – é nada menos do que a alma da empresa, como toda grande missão deveria ser. A lição é simples: quem segue fiel à missão em tudo o que faz, seja qual for seu porte, provavelmente terá sucesso. Já quem perde de vista essa missão dificilmente triunfará.

Obsessão com a linha de frente

A maioria dos fundadores foi o primeiro vendedor da empresa, o primeiro desenvolvedor do produto – ou ambos. É gente que respirava dia e noite a linha de frente, movida por uma curiosidade intelectual sobre todo detalhe da experiência do cliente e sobre como cada coisa no negócio funcionava. Para tomar uma decisão, usava o instinto cultivado ali, no chão da empresa.

A obsessão com a linha de frente é fundamental para a mentalidade do fundador e se manifesta de três formas: na obsessão com o pessoal da linha de frente, com cada cliente em todos os níveis da empresa e com os detalhes da operação. É essa mentalidade que Wexner imprimiu à L Brands e é a mentalidade que o jovem M. S. Oberoi, que teve uma infância humilde no que é hoje o Paquistão, imprimiu ao Oberoi Group, uma das grandes bandeiras de hotéis de luxo do mundo. Oberoi entrou no ramo sem um tostão. Começou de baixo, como recepcionista de um hotel no interior da Índia e, a partir daí, foi aprendendo. Fundou sua cadeia em 1934, na raça. Três anos depois, pegou um empréstimo para comprar o Grand Hotel de Calcutá – o que só conseguiu porque o valor da propriedade despencara devido a uma devastadora epidemia de cólera. É um clássico exemplo das cartadas audaciosas que jovens insurgentes dão. Durante a Segunda Guerra Mundial, para financiar a expansão, Oberoi foi astuto e converteu o hotel num verdadeiro alojamento de soldados britânicos.

Oberoi era obcecado por todo detalhe que pudesse afetar a experiência do cliente nos hotéis – do comprimento das calças de carregadores de malas à temperatura do chá, passando pelo frescor das flores e a disposição de plaquinhas de sinalização. Já passado dos 80, seguia visitando os estabelecimentos para garantir que o pessoal estivesse fazendo tudo direito. Com isso, instituiu uma cultura na qual todo funcionário partilhava sua obsessão – o que explica como, mais de uma década depois de sua morte, os hotéis Oberoi seguem entre os de maior sucesso no planeta. Em 2015, a revista *Travel & Leisure* elegeu a Oberoi a melhor bandeira de todas e o hotel da rede em Udaipur, na Índia, o melhor do mundo. A mentalidade do fundador segue viva.

A obsessão com a linha de frente é a essência da vantagem competitiva do grupo Oberoi. Para preservá-la, a empresa se certifica de que tudo o que envolve o pessoal – contratação, treinamento, promoções – tenha relação com a atenção a detalhes ligados ao cliente. Em qualquer hotel Oberoi, todo empregado na linha de frente tem o dever e a liberdade de criar valor diretamente para o cliente. Durante uma estadia típica, um hóspede do Oberoi interage em 42 ocasiões separadas com funcionários do hotel – e cada empregado desses tem autonomia para tomar decisões segundo seu próprio critério, o que inclui, por exemplo, brindar um hóspede com uma echarpe para que presenteie uma amiga doente. Para manter essa conexão pessoal com o cliente, a equipe se reúne toda noite para conferir a relação de hóspedes que chegarão no dia seguinte e analisar o histórico e as preferências de cada um. O pessoal recebe um treinamento especial em inteligência emocional. As metas são duas: saber ouvir com empatia e entender as necessidades únicas de cada cliente. Até os gerentes mais graduados devem mostrar humildade e ser um exemplo de conduta, recepcionando hóspedes se necessário, ajudando a limpar mesas se há muito movimento no restaurante e até carregando malas. Todo mês, os funcionários se reúnem em grupos organizados para compartilhar experiências e melhores práticas. Na cozinha de um hotel que visitamos, uma placa acima da área de higienização de verduras dizia: "Melhore tudo o que você toca".

O hotel busca segmentar os clientes para poder se antecipar a necessidades especiais. Poornima Bhambal, gerente assistente do The Oberoi Udaivilas, em Udaipur, Índia, conta como o hotel cria sistemas para buscar padrões em estadias anteriores de clientes e indicadores culturais – de modo que a equipe do hotel possa prever necessidades que o hóspede talvez ainda nem tenha manifestado. O pessoal sabe, por exemplo, que um certo tipo de hóspede sempre vai pedir um kit especial de higiene bucal ou de barbear – e por isso já deixa um no quarto. Como alguns hóspedes esperam serviço de babá 24 horas, o hotel oferece a opção no check-in. Clientes que já se hospedaram várias vezes ali são recebidos com um processo agilizado para que, minutos após chegar, já estejam instalados no quarto. "A menos que você se coloque no lugar do hóspede, não há como saber", disse Bhambal ao descrever esses métodos de projeção de necessidades. A atenção a detalhes e a autonomia da equipe na linha de frente, parte de um sistema de gestão de clientes meticuloso e baseado em dados, estão no cerne da vantagem competitiva da Oberoi num setor no qual padrões de atendimento ao cliente estão cada vez mais exigentes. Seu sucesso dura décadas porque a empresa sai à frente, em vez de vir atrás.

Hoje, o presidente do grupo que controla as cadeias Oberoi e Trident Hotel é Vikram Oberoi, neto de M. S. Oberoi. Quando nos encontramos, ele se lembrou das visitas que fazia ao avô, àquela altura já com seus 90 anos. "A vista do meu avô piorou com a idade", contou. "Ele usava óculos bem grossos e tinha de segurar o que estava lendo bem perto, a uns dez centímetros dos olhos. E lembro que, toda vez que eu chegava em sua casa, ele estava debruçado sobre alguma pesquisa de hóspedes, fazendo anotações constantemente para mandar observações aos gerentes do hotel. Ele seguiu obcecado até o fim com os mínimos detalhes do atendimento que os hotéis davam aos clientes. Foi o maior exemplo de todos."

Outro elemento crítico da obsessão com a linha de frente é a profunda curiosidade sobre as minúcias do funcionamento do negócio na linha de frente. No caso de M. S. Oberoi, isso se manifestava na atenção ao mais mínimo detalhe de cada um de seus hotéis. O fundador fazia questão de que seus chefs fossem pessoalmente à feira – em vez de pedir a entrega de alimentos sem antes ver o que estavam comprando. Discutia problemas de encanamento com gerentes e atentava para o detalhe certo na hora certa. Seu filho, P. R. S. Oberoi, hoje presidente do conselho, manteve a tradição: é conhecido por passar sem avisar pela cozinha e parar até para checar os ovos – quebrando um ou outro para conferir a coloração. Mas M. S. Oberoi nunca permitiu que sua crença na importância dos detalhes atravancasse as coisas. Era famoso por não deixar um único papel sobre a mesa antes de ir embora ao fim do dia. A seu ver, se não houvesse um palheiro, não havia como perder uma agulha.

Na hotelaria de luxo, uma atividade de alto contato com o cliente, a obsessão pela linha de frente é a essência da diferenciação competitiva. É possível, no entanto, encontrar essa mesmíssima característica em toda sorte de empresa de sucesso regida pela mentalidade do fundador, em muitos setores. Em geral, são as que mais sustentam o sucesso. É só pensar em Steve Jobs na Apple, e em como Jobs fazia questão de que os componentes eletrônicos de seus aparelhos fossem montados com elegância, ainda que o usuário jamais fosse vê-los. Ou no foco obsessivo da Toyota com o pessoal na linha de frente do sistema de produção da montadora, onde todo operário tem o direito – aliás, o dever – de paralisar o trabalho e deflagrar a busca da solução de um problema ao constatar qualquer falha na linha de produção. As empresas que mais duram em setores em rápida transformação conseguem manter a obsessão com a linha de frente e a paixão por detalhes – mesmo ao crescer.

Cabeça de dono

Pequenas empresas têm uma grande vantagem competitiva sobre grandes incumbentes. Em qualquer nível da operação, funcionários de uma empresa pequena tomam decisões e perseguem suas metas com uma cabeça de dono. Em outras palavras, estão de tal forma comprometidos com o negócio, que pensam e agem como se a empresa fosse sua, algo que não pode ser dito dos níveis e mais níveis de funcionários e gerentes profissionais de grandes incumbentes. Pesquisas indicam que só 13% dos trabalhadores sentem algum vínculo ou envolvimento emocional com a empresa na qual trabalham.[2] É um dado impressionante e uma oportunidade para que empresas usem essa cabeça de dono para inspirar seus trabalhadores. A diferença entre funcionários que pensam com cabeça de dono e os demais pode ser imensa – tanto quanto a diferença entre pais dedicados e uma babá indiferente.

Três ingredientes formam a essência da cabeça de dono e tornam esse atributo uma fonte de vantagem competitiva. O primeiro é um *forte foco nos custos*: tratar as despesas e os investimentos como se o dinheiro em questão fosse seu. A segunda vantagem é o que chamamos de *viés para a ação*. Adi Godrej, que comanda a indiana Godrej Group, uma grande fabricante de bens de consumo, exibe esse pendor na hora de tocar as operações. "A velocidade superior com que tomamos decisões importantes e entramos em ação é o que permite que superemos constantemente grandes multinacionais de bens de consumo que entram em nossos mercados." A terceira vantagem é a *aversão à burocracia* – ou seja, a aversão à organização estratificada, com departamentos centralizados e hordas de funcionários administrativos que se proliferam, usurpam o poder e criam processos decisórios complexos que entopem as artérias da empresa e diminuem sua velocidade.

Muitas empresas perdem a vantagem competitiva dessa cabeça de dono ao crescer. É que se tornam complexas, viram empresas listadas com participação pulverizada, contratam gestores profissionais que duram pouco no cargo (o típico presidente de uma empresa de capital aberto dura em média apenas cinco anos), montam equipes administravas imensas e vivem uma balcanização de orçamentos que represa recursos em departamentos com agenda própria, o que torna difícil localizar e remanejar fundos. De novo, isso abre oportunidades: empresas que conseguem crescer e, ainda assim, conservar parte da agilidade, da eficiência e do foco de uma empresa jovem liderada pelo fundador têm enorme vantagem competitiva e, segundo nossa pesquisa, são as grandes campeãs quanto o assunto é geração de valor.

Peguemos a AB InBev, a maior cervejaria do mundo, a mais rentável, dona de um faturamento de US$ 50 bilhões, um valor de mercado de US$ 170 bilhões e margem de lucro de 32% – mais de dez pontos acima da média das maiores rivais. Embora muitos não botassem fé na empresa lá no começo, a AB InBev superou em muito as expectativas ao cultivar assiduamente a cabeça de dono ao ir crescendo.

A história começa em 1989, quando três investidores brasileiros – Jorge Paulo Lemann, Marcel Telles e Carlos Alberto Sicupira – compraram a Brahma, uma fabricante de cerveja nacional marginalmente rentável. O trio sabia, de suas andanças pelo mundo, que uma cervejaria local forte poderia ser uma bela máquina de dinheiro e assumiu o desafio de fazer da Brahma a mais eficiente do mundo. Para tanto, contratou um mestre no Sistema Toyota de Produção e lançou uma iniciativa de *benchmarking* e adoção de práticas de fabricantes de cerveja de menor custo do mundo. Telles contou: "De 1989 a 1999, a história foi basicamente de corte de custos, de criar uma nova cultura com gente jovem e motivada, a maioria de fora da indústria cervejeira. A cultura competitiva que criamos basicamente esgotou a Antarctica, nossa concorrente no Brasil, que no final se fundiu a nós, o que nos deu forte liderança no mercado".

O plano deu certo. Em questão de anos, a empresa tinha replicado seus sistemas de custos e suas práticas culturais em cervejarias da Bolívia ao Paraguai e criado a maior e mais rentável fabricante de cerveja da América do Sul. Quando fomos visitar Telles no trabalho – num lugar com vista para uma favela na periferia de São Paulo –, ele contou o que a empresa vinha fazendo para reforçar essa cabeça de dono. Ninguém tinha uma sala só sua – nem o presidente –, pois a liderança achava que espaços fechados criavam uma cultura secretista e hierárquica. As metas de toda equipe, inclusive da presidência, eram projetadas num telão no grande espaço comum de trabalho, e cada uma era identificada por uma cor que indicava seu progresso. Qualquer um podia ver a posição dos outros, e como cada parte se encaixava no todo. Na hora de contratar, a preferência era por gente jovem, com gana de vencer. O orçamento era revisto de alto a baixo a cada ano. E tudo pesava: um funcionário que queria uma caneta nova tinha de entregar a velha, já sem tinta.

Hoje, a empresa que começou localmente como Ambev virou uma gigante global que controla quase 25% do mercado mundial de cerveja. Uniu-se à europeia Interbrew, comprou a americana Anheuser-Busch e a mexicana Modelo – e outra leva de marcas e cervejarias locais. Além disso, acaba de adquirir a SABMiller. Nessa consolidação da indústria cervejeira global, a empresa foi burilando suas práticas e sua cultura, incutindo ambas em cada nova empresa adquirida no caminho – e sem nunca mudar seu modelo central, replicável. A empresa ainda é guiada pela missão insurgente original (ser a fabricante de cerveja mais eficiente do mundo) e dá duro para incutir a cabeça de dono em todo trabalhador. "Somos uma companhia de donos", diz a declaração de princípios da empresa. "Donos assumem resultados pessoalmente."

Um gerente que conhecemos durante nossa visita resumiu de forma memorável essa abordagem: "Criamos donos de restaurante, não garçons", disse. "Se você tem um restaurante e inauguram outro bem na frente, servindo a mesma comida, como você se sente? Você sente que alguém está colocando sua sobrevivência em risco, ameaçando você, ameaçando sua família. É algo pessoal, pois o restaurante é seu sonho. Já se for um garçom e abrirem outro restaurante do outro lado da rua, como você se sente? No máximo, indiferente. A bem da verdade, agora há concorrência por seus serviços. Muita empresa, sem querer, cria garçons. Trabalhamos incansavelmente para criar donos de restaurante". E os fundadores não pararam na cerveja. Sua firma de investimentos, a 3G Capital, há pouco comprou a Kraft e a Heinz e pretende reerguer ambas usando os mesmos princípios e a mesma cabeça de dono que funcionou tão bem na AB InBev.

Há mais de 20 anos incentivamos nossos clientes a "pensar como donos" – a considerar sua estratégia com a cabeça de dono, o que significa alinhar os grandes interesses de líderes e de acionistas da empresa. O poder dessa abordagem teve papel crucial na ascensão da indústria de *private equity*. A nosso ver, é uma reação contra a burocracia, a má gestão de custos e a complexidade que assolam muita empresa de grande porte à medida que a mentalidade do fundador se esvai. Quando analisamos o retorno de uma série de transações em vários fundos de *private equity* que conhecemos bem, descobrimos que, dentre todas, as operações que deram um retorno quase 50% maior do que o restante envolviam negócios vendidos por grandes empresas de capital aberto cuja gerência aparentemente tinha deixado de pensar como dono e perdido os incentivos que isso traz. Quando uma firma de *private equity* reinfundiu esse espírito no negócio, o resultado foi mais agilidade, menos burocracia, uma avaliação mais fria de operações marginais sem ligação com o *core* e uma melhor gestão de custos. A forma reiterada com que a restituição da cabeça de dono produziu retornos elevados para firmas de *private equity* é um dos fenômenos mais contundentes das últimas décadas no mundo dos negócios. Em entrevistas que fizemos com fundadores e famílias fundadoras mundo afora, ouvimos repetidamente que a cabeça de dono era uma fonte reiterada de vantagem competitiva.

Nas duas últimas décadas, muitos de nós apontamos a cabeça de dono como *a* melhor via para uma empresa ter sucesso. Com o tempo, no entanto, vimos que há mais coisa em jogo. A cabeça de dono é só parte da história. É por isso que fizemos dela apenas um dos três traços da mentalidade do fundador – mentalidade que, a nosso ver, tem um poder consideravelmente maior de ajudar grandes e pequenas empresas a atingir um crescimento rentável e sustentável. Enquanto a cabeça de dono alinha interesses de líderes e acionistas, a mentalidade do fundador vai além – e alinha também os interesses de líderes e do pessoal que atua na linha de frente, onde a empresa trava contato com o cliente. Essa mentalidade exige inovação e é profundamente centrada no cliente: uma postura que, a nosso ver, acaba gerando o maior valor.

Quando se falava em cabeça de dono no final da década de 1980 e começo da de 1990, a discussão raramente incluía a linha de frente. O foco em alinhar interesses de líderes e investidores às vezes levava a empresa a pensar como uma incumbente: a querer se entrincheirar e extrair valor do negócio existente – e a perder a gana de inovar, de satisfazer o cliente como nenhuma outra e de dar pleno valor ao pessoal na linha de frente. Esse é um grande obstáculo ao crescimento sustentável – obstáculo que, conforme explicaremos neste livro, a mentalidade do fundador pode ajudá-lo a evitar.

COMO INCUTIR A FOUNDER'S MENTALITY EM SUA ORGANIZAÇÃO

Embora todo exemplo até aqui tenha sido de empresas lideradas pelos fundadores, é importante observar que muito fundador *não* exibe a mentalidade do fundador. Obviamente, não há um fundador igual ao outro e muitos triunfam ou levam a empresa à bancarrota devido às vantagens e desvantagens singulares de sua personalidade. Mas nosso foco nesse livro não é uma personalidade, e sim uma mentalidade: uma série de atitudes e comportamentos específicos exemplificados pelos traços de grandes fundadores e que, se devidamente cultivados no restante da organização, podem promover com mais garantia um crescimento sustentável.

Não importa se já transcorreram décadas desde que sua empresa foi fundada. Nossa tese é que praticamente toda empresa, em qualquer estágio da vida, pode se beneficiar das atitudes e dos comportamentos que constituem a mentalidade do fundador. Empresas jovens precisam *criar* a mentalidade do fundador; as mais antigas, *redescobrir* ou até *redefinir* essa mentalidade. Este livro vai mostrar como.

O que os dados mostram

Tendo explorado longamente os três traços da mentalidade do fundador com uma pesquisa entre executivos e a análise de dados de empresas e de seus comportamentos, descobrimos que, em 90% dos casos, líderes apontam ao menos um desses traços como fonte da vantagem do fundador.[3] Ao examinar esses dados, também saímos convencidos de que a mentalidade do fundador pode trazer benefícios não só para empresas pequenas ou que estão começando. Empresas que tinham conseguido preservar a mentalidade do fundador, fosse qual fosse sua idade ou porte, tinham mais chance de figurar entre as de melhor desempenho. Aliás, as empresas de melhor desempenho do mundo são as que conseguem atingir razoável escala e poder de mercado sem perder a mentalidade do fundador. Em nosso próprio banco de dados, por exemplo, empresas do quintil de melhor desempenho exibiam características de alta insurgência em 74% dos casos, *versus* 19% nas do quintil de pior desempenho. No caso da obsessão com a linha de frente, a diferença era de quase cinco vezes: 57% *versus* 12%. O vão era parecido no quesito cabeça de dono: 50% *versus* 9% (veja a figura 1-2).[4]

À primeira vista, os três traços da mentalidade do fundador parecem o básico do básico. Mas é incrivelmente difícil preservá-los à medida que a empresa cresce. A complexidade se instala, favorecendo quem domina o jogo político e processos internos; o poder migra da linha de frente para o centro; a burocracia passa a dar as cartas. Aos poucos, internamente, a empresa perde a mentalidade do fundador. E, no plano externo, começa a sair da pista, a entrar na rota do fracasso.

Até que ponto sua empresa preserva os traços da mentalidade do fundador? Para descobrir, responda o breve questionário a seguir.

FIGURA 1-2

Empresas com o melhor desempenho exibem traços da mentalidade do fundador

Porcentagem de empresas que tiraram nota 4 ou 5 (de um total de 5)

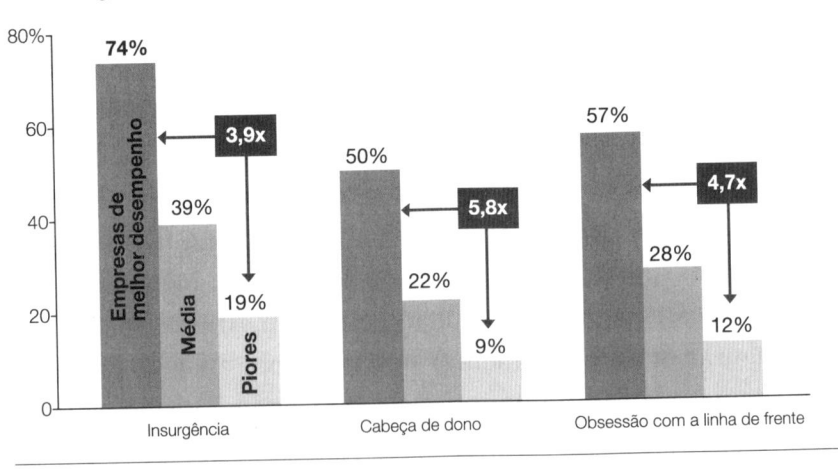

	Insurgência	Cabeça de dono	Obsessão com a linha de frente
Empresas de melhor desempenho	74%	50%	57%
Média	39%	22%	28%
Piores	19%	9%	12%
	3,9x	5,8x	4,7x

SUA ORGANIZAÇÃO TEM A FOUNDER'S MENTALITY?

Uma empresa tem a mentalidade do fundador quando seus funcionários encarnam os princípios e o estilo empreendedor característicos de grandes fundadores. O questionário de diagnóstico da Founder's Mentality® é o primeiro passo no processo para descobrir se sua empresa está conseguindo preservar a mentalidade do fundador à medida que cresce e, caso não, quais os grandes obstáculos internos. Para uma versão mais detalhada, que indique sua nota em cada atributo da mentalidade do fundador, sugerimos o uso do questionário disponibilizado em nosso site (www.foundersmentality.com). Para começar, leia cada um dos enunciados do questionário e dê uma nota a si mesmo ou a sua organização usando uma escala numérica na qual 1 equivale a "Discordo totalmente" e 5 a "Concordo plenamente".

INSURGÊNCIA

Missão ousada
- Sabemos claramente qual a razão de ser da empresa – qual o grande propósito de estarmos no mercado.
- Nossa missão me energiza pessoalmente e é motivo de inspiração para aqueles à minha volta.

Agudeza, ou "spikiness"
- Nossa organização sabe claramente quais as capacidades (uma ou duas) que a diferenciam aos olhos de nossos clientes.
- Temos um modelo replicável de crescimento que nos permitirá conquistar ou ampliar a liderança em nossos mercados.

Horizonte ilimitado
- Ao tomar decisões orçamentárias e de investimento, nosso foco é o longo prazo; resultados no curto prazo, trimestrais, são uma consideração secundária.
- Sabemos lidar com turbulências e estamos criando e provando novos modelos de negócios à frente da concorrência.

OBSESSÃO COM A LINHA DE FRENTE

Experimentação incessante
- Estamos sempre inovando e fazendo testes no mercado; isso traz aprendizado e é uma vantagem competitiva.
- Temos um processo eficiente de feedback para entender o que está funcionando e poder tomar medidas corretivas rapidamente.

Empoderamento da linha de frente	• Somos a empresa que mais atrai os grandes talentos de nosso setor. • Tratamos funcionários da linha de frente como os heróis da empresa e fazemos tudo o que for necessário para apoiá-los.
Customer advocacy	• Sabemos claramente quem são nossos principais clientes; sua lealdade é uma vantagem competitiva. • A voz do cliente está plenamente representada em toda reunião importante.

CABEÇA DE DONO

Forte foco em custos	• Somos extremamente atentos ao dinheiro que entra e sai; tratamos cada centavo como se fosse nosso. • Somos rápidos em remanejar pessoal e capital para onde a empresa mais necessita.
Viés para a ação	• Nossa organização toma e coloca em prática decisões importantes com mais rapidez do que as concorrentes; a agilidade é uma vantagem para nós. • A organização tem gente disposta a assumir prontamente a responsabilidade e o risco de fazer a coisa certa.
Aversão à burocracia	• Simplificamos nossas iniciativas para nos concentrar em grandes prioridades que gerem valor. • Nossos processos de planejamento e avaliação são os melhores do setor, remanejando recursos de forma eficiente para tornar a linha de frente mais competitiva.

TEMAS GERAIS

- Nossos maiores entraves ao crescimento e ao sucesso no futuro são muito mais de caráter interno do que externo; nosso destino está em nossas mãos.

- Nossas principais concorrentes daqui a cinco anos vão ser outras empresas, e não as mesmas dos últimos cinco anos.

Pontuação

Some todas as notas para chegar à pontuação geral. Segundo os dados que vimos até aqui, empresas normalmente se distribuem em quatro faixas, que vão de mentalidade do fundador forte (pontuação total no questionário inteiro superior a 75), a decrescente (pontuação total de 60–75), a baixa (total de 45–60) e, em último caso, inexistente (pontuação total inferior a 45).

Enquanto a pontuação geral é um forte indicador da saúde interna da empresa e de sua capacidade de sustentar um crescimento rentável no plano externo, o padrão registrado é ainda mais importante para identificar os problemas mais prementes. Isso porque a empresa não perde de modo uniforme a mentalidade do fundador, mas vai observando grandes quedas em uma ou outra dimensão.

É crucial aprofundar essa avaliação para poder, em última instância, chegar às causas básicas do declínio (ou seja, entender problemas ainda não resolvidos que a linha de frente vem enfrentando, colher um feedback real de clientes e por aí vai). Este livro irá mostrar como fazê-lo.

MAPA DA FOUNDER'S MENTALITY

Ao explorar o poder desses três traços, empresas como a L Brands conseguiram ganhar escala e, o que é ainda mais difícil, sustentar um crescimento rentável ao longo do tempo. Mas poucas completam com sucesso essa jornada e uma parcela menor ainda mantém a vantagem por décadas. Abalada pelas crises previsíveis do crescimento, a maioria vai gradualmente perdendo as vantagens da mentalidade do fundador e da escala e termina saindo da rota de maneiras bem previsíveis. Antes de explorarmos cada uma delas em detalhe, vejamos um modelo esquemático do terreno no qual essa ação se desenrola.

A figura 1-3 é o mapa geral que iremos usar para traçar os estágios e as crises previsíveis de uma empresa ao longo de seu ciclo de vida. O mapa tem duas dimensões. O eixo leste-oeste representa os *benefícios da mentalidade do fundador* (um indicador da força interna da empresa e de sua cultura), enquanto o eixo norte-sul representa os *benefícios do tamanho* (um indicador da força externa da empresa na comparação com concorrentes do setor, resultado do poder de mercado e da escala).

Empresas no quadrante inferior direito, onde a maioria inicia a jornada, são o que chamamos de *insurgentes*. Estão começando e têm relativamente pouca escala, mas são movidas por uma grande ideia e pelas vantagens internas da mentalidade do fundador: o fervoroso empenho em mudar as regras de seu setor, uma obsessão com o pessoal e o trabalho feito na linha de frente do negócio e uma cabeça de dono – um senso de profunda responsabilidade pessoal por resultados que leva ao foco na agilidade e à aversão à burocracia.

FIGURA 1-3

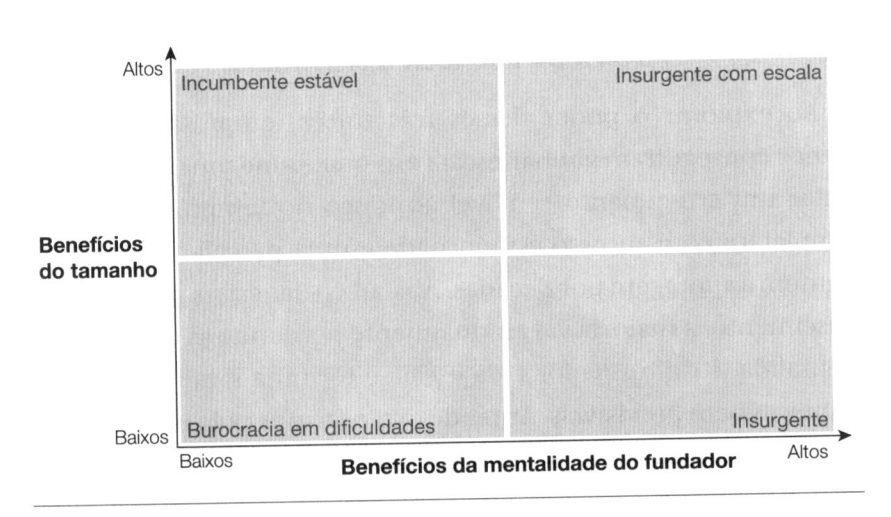

Mapa da mentalidade do fundador

	Baixos Benefícios da mentalidade do fundador Altos
Altos	Incumbente estável / Insurgente com escala
Benefícios do tamanho	
Baixos	Burocracia em dificuldades / Insurgente

A Endeavor, organização sem fins lucrativos voltada a promover o crescimento de jovens empresas em países em desenvolvimento, tem uma rede que hoje abrange mais de mil companhias em mais de 20 mercados. Essas empresas, com as quais travamos extenso contato ao longo da pesquisa, são insurgentes exemplares. É o caso da brasileira GEO Energética, uma companhia com 50 funcionários dirigida por Alessandro Gardemann que tem um método único para transformar resíduos inaproveitados da cana-de-açúcar em energia – processo com potencial para satisfazer grande parte da demanda de nova energia no mercado brasileiro. Embora o negócio tenha alto potencial de crescimento, não faltam desafios práticos para que passe da insurgência à grande escala. A GEO é um exemplo de empresa que conseguiu sobreviver à fase inicial, provou que sua ideia é boa e, agora, é uma jovem insurgente tentando atingir os benefícios da escala.

No canto superior direito do diagrama da figura 1-3 vemos o que, a nosso ver, devia ser a meta da maioria dos líderes de empresas: a *insurgência com escala*. Insurgentes com escala são empresas que seguiram fiéis a sua missão insurgente por um longo tempo, conquistaram poder de mercado e influência no processo e preservam a vitalidade humana da mentalidade do fundador. AB InBev, Enterprise Rent-A-Car, Google, Haier, Apple, Victoria's Secret e IKEA chegaram, sem exceção, à insurgência com escala. Em última análise, todo conselho neste livro tem como objetivo ajudar uma empresa a atingir a insurgência com escala. Empresas nesse quadrante cresceram e conquistaram uma posição de liderança, mas sem perder as vantagens da mentalidade do fundador. Embora apenas 7% a 8% de todas as empresas que atingem um faturamento de US$ 500 milhões (cerca de uma a cada duas mil start-ups) tenham chegado à posição de insurgência com escala na última década, as poucas que conseguem respondem por bem mais de metade do valor líquido criado no mercado global de ações em um ano típico.[5]

A incumbência, a posição no quadrante superior esquerdo, é bem diferente. Empresas aqui já perderam muito da energia empreendedora e da flexibilidade da mentalidade do fundador, mas conquistaram uma posição de vantagem sustentada – e talvez até de liderança no setor – devido a ativos e capacidades que possuem. Criaram barreiras à concorrência – barreiras que agem como imponentes muralhas de defesa. Em geral, são as maiores do setor. Exemplos célebres nessa situação incluem Microsoft, Gazprom, Unilever e SAP.

O pior lugar a ocupar em nosso mapa é o quadrante inferior esquerdo: o reino da burocracia em dificuldades. Empresas nessa posição há muito perderam as vantagens internas da mentalidade do fundador, mas destruíram ou nunca chegaram a erguer muralhas como as que protegem as incumbentes bem-sucedidas. A maioria das empresas que chega aqui nunca recupera o dinamismo. Em casos extremos, são empresas nas quais a maldição da complexidade destruiu sua capacidade de reagir depressa a mudanças, reduziu a quase zero o ritmo de aprendizagem e elevou custos. Exemplos conhecidos incluem Kodak, Sony e Kmart. Embora acontecimentos externos bruscos tenham deflagrado o traumático declínio dessas empresas, sua precária saúde no plano interno deixou-as particularmente vulneráveis ao trauma e selou seu destino.

Muitas empresas não habitam os extremos. Em vez disso, fluem em direção ao centro da matriz – uma posição inerentemente instável caracterizada por declínio no poder de mercado, disfunção interna decorrente da complexidade e da burocracia e uma morosidade que impede a rápida tomada de decisões. Em geral, a empresa que entra nessa trajetória descendente dá um retorno inferior ao custo do capital – e, portanto, destrói valor de seus acionistas.

THE JOURNEY NORTH: COMO ATINGIR UM CRESCIMENTO RENTÁVEL COM ESCALA

Como mostraremos nos demais capítulos, o sucesso nas duas dimensões do nosso mapa leva ao crescimento sustentável.

Chamamos esse processo de ascensão de "journey north": o trajeto que vai do reino da insurgência inicial, no canto inferior direito do mapa, ao reino da insurgência com escala, no quadrante superior direito (veja a figura 1-4). Foi o trajeto percorrido por Leslie Wexner com a L Brands, embora seja difícil concluí-lo sem topar com problemas ao longo de um ou outro eixo. Com raríssimas exceções, o sucesso em apenas um dos eixos provoca instabilidade na empresa. Já o fracasso nos dois leva ao declínio e, em última instância, à extinção.

FIGURA 1-4

A "journey north": como atingir um crescimento rentável com escala

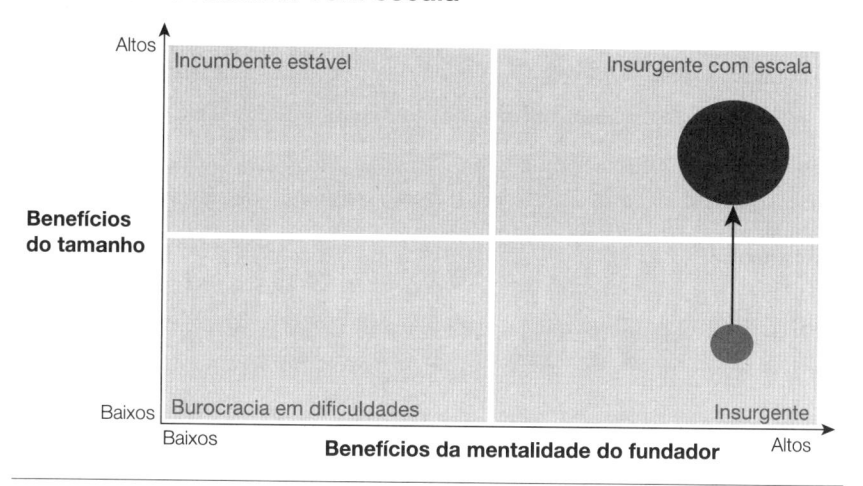

	Baixos — Benefícios da mentalidade do fundador — Altos
Altos — Benefícios do tamanho	Incumbente estável / Insurgente com escala
Baixos	Burocracia em dificuldades / Insurgente

A rota típica: problemas decorrentes da escala

Tanto em nossa pesquisa como na atividade de consultoria, cansamos de ver empresas seguindo uma rota típica em nosso mapa (veja a figura 1-5). O ponto de partida é o quadrante inferior direito. A empresa ali situada exibe os traços positivos da mentalidade do fundador e, muitas vezes, ainda é comandada pelo próprio.

Mas, tirando uma ideia e uma equipe empolgada, não possui muito mais. Precisa atingir massa crítica para poder competir; precisa conquistar poder de mercado para ter rentabilidade – e precisa fazer as duas coisas ao mesmo tempo para dar retorno a investidores e oportunidades aos trabalhadores. À medida que vai crescendo, a empresa avança dali para o alto do mapa, ganhando porte e poder de mercado – mas, não raro, incorporando sistemas e adquirindo uma complexidade que diluem a energia interna da mentalidade do fundador.

FIGURA 1-5

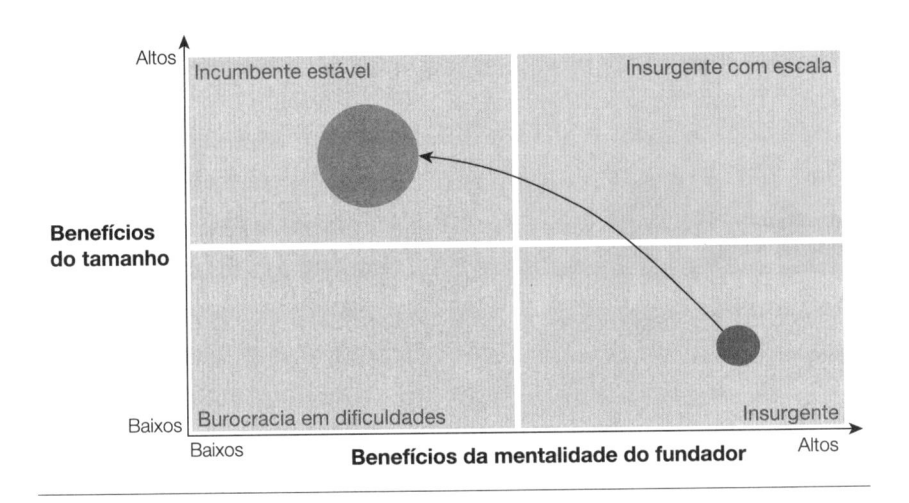

A rota típica: problemas decorrentes da escala

	Altos	
Benefícios do tamanho	Incumbente estável	Insurgente com escala
	Burocracia em dificuldades	Insurgente
	Baixos	Altos
	Baixos **Benefícios da mentalidade do fundador**	

É aí que surge o *paradoxo do crescimento*. A força interna e a vitalidade de uma jovem empresa, que permitiram que desafiasse incumbentes maiores lá no começo, em geral vão diminuindo à medida que cresce e se estabelece, incorporando processos e estruturas que reduzem a intimidade pessoal que existia nos primórdios da empreitada. Conforme mostraremos, os problemas que surgem em empresas que estão crescendo costumam ter relação direta com mudanças internas que corroem a mentalidade do fundador. É por isso que 85% dos executivos sentem que os principais obstáculos ao crescimento sustentado e rentável são de caráter interno.[6] A maioria dos observadores, no entanto, não percebe a extensão desse problema, pois quase todo parâmetro de sucesso – em informações divulgadas pela própria empresa ou na análise daqueles que a acompanham – está ligado a resultados externos como retorno financeiro, taxa de crescimento, participação de mercado e, às vezes, *customer advocacy*. São fatores críticos, é claro. Mas ninguém avaliaria um cavalo de corrida só com base em vitórias passadas. Para saber se seu desempenho é sustentável, é preciso analisar também seu estado interno de saúde – e detidamente.

Três dos quatro quadrantes em nosso mapa – *insurgência, incumbência* e *burocracia em dificuldades* – representam o território no qual transcorrem as crises previsíveis do crescimento. No próximo capítulo, iremos tratar de cada crise dessas e mostrar como surgem.

Antes disso, uma rápida observação. Nos capítulos a seguir, não vamos traçar um programa para que a empresa promova uma mudança cultural duradoura em seu seio. Esse é um processo que exige anos de esforço contínuo por parte da equipe de liderança e foge ao escopo deste livro. Nossa meta aqui é identificar ideias práticas para promover um crescimento sustentável que possa dar resultados num intervalo de tempo bem menor do que os cinco a sete anos que, segundo especialistas em cultura organizacional, são necessários para uma mudança cultural profunda.

COMO USAR A FOUNDER'S MENTALITY EM SUA ORGANIZAÇÃO

√ Com a ajuda do questionário incluído neste capítulo, entreviste funcionários da linha de frente e clientes para determinar até que ponto sua empresa possui a mentalidade do fundador.

√ Munido dos resultados dessa sondagem, tenha uma conversa individual com seus principais gerentes. Perguntas a fazer:

- Todo mundo entende a missão insurgente da empresa?
- Estamos focados em empoderar e dar apoio à linha de frente?
- Pensamos e agimos como donos?
- Temos, todos, a ambição de ser a insurgente com escala em nosso setor?
- Podemos aprender com concorrentes, sobretudo com novas insurgentes que encarnam de maneira melhor a mentalidade do fundador?
- Como as respostas a essas perguntas mudam nossas prioridades como empresa?

CAPÍTULO 2

AS TRÊS CRISES PREVISÍVEIS DO CRESCIMENTO
COMO EMPRESAS ESPETACULARES PERDEM O RUMO

Na maior parte deste livro, iremos apresentar maneiras práticas de prever e enfrentar as crises do crescimento – muitas delas inspiradas na experiência de grandes fundadores. Mas, antes de tratar de soluções, é preciso descrever os problemas. É o que faremos agora.

OVERLOAD: A CRISE DO CRESCIMENTO ACELERADO

Para fazer uma empresa crescer de US$ 100 milhões para US$ 1 bilhão, ou de US$ 500 milhões para US$ 5 bilhões, é preciso mudar o *modus operandi*. Não dá para seguir fazendo o mesmo de sempre, só que multiplicado por dez. É preciso criar novos sistemas para lidar com a crescente complexidade e adaptar o negócio ao mercado. No começo, dava para fazer tudo o que era preciso com uma planilha de Excel criada pelo próprio diretor financeiro; agora, no lugar da planilha há uma instalação SAP administrada por um departamento de especialistas em TI. No começo, a equipe original – cercada de gente sem muita experiência – dava conta do recado na pura garra; agora, o porte da empresa e o ritmo de crescimento exigem a contratação de profissionais de outro gabarito, que atuavam em empresas cuja cultura não tem nada a ver com a sua. No começo, a equipe fundadora estava sempre a par de tudo e podia centralizar as decisões; agora, é preciso distribuir essas decisões organização afora de forma sistemática. No começo, você podia estar em toda parte e, com sua conduta, dar o exemplo; agora, simplesmente não pode. No começo, você sabia o nome de seus principais clientes; agora, vê apenas médias em apresentações de PowerPoint. No começo, todo mundo na empresa sabia por que sua missão era especial; agora, é difícil transmitir essa noção aos grotões da organização.

O *overload*, ou sobrecarga, ocorre quando a empresa está crescendo de forma intensa – ou seja, quando está subindo do quadrante inferior direito do mapa da mentalidade do fundador e tentando chegar ao quadrante logo acima, também à direita.

Conforme a empresa vai crescendo, seus líderes tendem a descuidar da mentalidade do fundador ou a considerá-la parte da mobília. É natural. O resultado, contudo, é que começam a perder aquilo que, lá no começo, tornou a empresa fora de série. Complexidade, sistemas e processos emperram a organização, consomem uma parte maior da rentabilidade e diluem o senso original de propósito. O *overload* acomete empresas que começaram a crescer sem ter se preparado, no plano interno, para a pressão exercida pelo porte e pela complexidade. É uma sensação horrível: você está crescendo e dando mais duro do que nunca, mas, a cada dia que passa, se sente mais e mais atolado. A impressão é que algo ruim está prestes a acontecer.

Peguemos o caso da Norwegian Cruise Line. A empresa, que a certa altura liderava o mercado de cruzeiros, era inovadora e tinha grandes ambições de crescimento, além de investidores agressivos. Mas encalhou. Por quê? Porque não conseguiu lidar com o *overload*, a sobrecarga. Como não tinha criado sistemas adequados para implementar a estratégia de crescimento no plano interno, essa estratégia fez água em dezenas de pontos de execução na linha de frente – com clientes, tripulação, pessoal em terra e agentes de turismo parceiros da empresa.

Na seção a seguir, vamos contar como a Norwegian perdeu o prumo no caminho para o quadrante norte. No terceiro capítulo, retomaremos a história para mostrar como uma liderança nova entrou em cena e usou a mentalidade do fundador para endireitar a empresa a partir das bases. O resultado final foi impressionante: desde que a reestruturação teve início, o faturamento quase dobrou, o lucro operacional foi multiplicado por mais de 12 vezes e o crescimento subiu de zero para mais de 20%.

Norwegian Cruise Line: mar revolto

A Norwegian Cruise Line inaugurou a indústria moderna de cruzeiros. Seus fundadores, Knut Kloster e Ted Arison, lançaram o primeiro navio ao mar em 1966: uma embarcação que também levava carros e fazia travessias de baixo custo entre Miami e o Caribe. A Norwegian inovou no setor: foi a primeira a oferecer pacotes de cruzeiros que cabiam no bolso de quase qualquer um. Sob a liderança de Kloster (Arison saiu para abrir a Carnival Cruise Line), a empresa logo viraria uma líder no mercado. Mas aí, aos poucos, foi perdendo chão para as concorrentes. No final da década de 1990, depois de uma série de aquisições, de se desfazer de certas operações e de atrair mais investidores, veio o *overload*. Com dificuldades financeiras e um fluxo de caixa negativo de mais de US$ 100 milhões, a empresa aceitou ser comprada no ano de 2000 pela operadora de cruzeiros Star Cruises, uma das maiores da Ásia.

Na esteira da aquisição, a Star Cruises anunciou planos agressivos para recuperar a empresa. O primeiro – e gigantesco – passo foi romper com o formato tradicional de cruzeiros para oferecer ao público o que chamou de Freestyle Cruising: um formato com diversas opções de alimentação e lazer a bordo, com horários flexíveis (contrariando a norma do setor à época, que previa um único restaurante e horários predeterminados). Navios sem estrutura para operar nesse formato foram atracados e modernizados. Era uma ideia revolucionária no setor, mas de execução difícil, sobretudo no caso das refeições. Como a cozinha ficava longe dos espaços de alimentação, a espera pelos pedidos era longa, causando irritação entre passageiros. Já a tripulação, hostilizada por turistas insatisfeitos e estressada com a implantação da novidade, foi ficando descontente e desmotivada. Apesar disso, a empresa seguiu a toda com a expansão, crescendo só por crescer, cortando preços sem nenhuma disciplina e derrubando, no processo, a satisfação do cliente e o compromisso dos funcionários. O resultado? Perdeu a confiança do pessoal da linha de frente, o compromisso de parceiros em agências de viagens e a lealdade de passageiros, que debandavam cada vez mais para outras opções de lazer.

Em 2007, incapaz de lidar com a sobrecarga mesmo sob novo controle, a Norwegian deixara seriamente de cumprir as metas de crescimento e planos de lucro. Foi então que o conselho de administração (e a nova controladora, a Apollo Investment Corporation) recrutou Kevin Sheehan, um veterano com experiência nos setores de locação de veículos e entretenimento. Primeiro, como diretor financeiro e, mais tarde, como CEO.

Sheehan, que quando jovem fora motorista de táxi no Queens, em Nova York, era conhecido como um líder dotado de um senso prático sobre o funcionamento de uma empresa na linha de frente. Ele e a equipe viram imediatamente o que a Norwegian precisava: de "uma transformação de baixo para cima, partindo do pessoal da linha de frente e dos clientes a bordo", disse.[1] Sheehan viu que os líderes da Norwegian tinham dado tempo e atenção demais a ideias geradas na sede da empresa – sem que fossem meticulosamente testadas na linha de frente, acompanhadas posteriormente ou incorporadas de forma prática às rotinas da empresa.

Tivemos uma conversa com Sheehan a bordo do *Norwegian Star*, um dos navios da empresa. Na ocasião, ele falou da situação que encontrou quando assumiu a presidência. "Quando cheguei, passei um bom tempo conversando com o pessoal da linha de frente, nos navios, nos portos", disse. "Logo percebi que nossos maiores problemas eram internos, não relacionados ao setor. Tínhamos inventado o Freestyle Cruising, mas a execução andava muito mal, produzindo longas filas e passageiros descontentes. Estávamos praticando preços uniformes, mas a verdade é que havia uma enorme diferença de valor entre cabines e precisávamos de um sistema de *preços* sofisticado, como o que tínhamos no setor de aluguel de automóveis, para casar demanda e valor e definir preços de forma dinâmica. Agências de viagens estavam frustradas com os cortes de preços que fazíamos de última hora e não se sentiam parceiras de verdade. E, acima de tudo, nosso pessoal na linha de frente tinha perdido a noção do que era importante. Cortar preços? Inovar? Focar o cliente? Ou o quê?"[2]

Esse é um clássico exemplo dos problemas trazidos pelo *overload*. A Norwegian atuava em um setor que crescia, ocupava uma posição de liderança e tinha boas ideias (como o *freestyle*) para diferenciar a companhia e torná-la especial. Mas, conforme foi crescendo, errou em várias frentes. Não conseguiu tornar a estratégia inteligível para a linha de frente. Não conseguiu criar sistemas para administrar sem percalços a experiência do cliente, agora mais complexa. Não conseguiu envolver a linha de frente no desenvolvimento de um software para administrar o fluxo de passageiros e não soube conectar essa mesmíssima linha de frente com agentes de viagem parceiros que vendiam pacotes nos navios.

O que se seguiu na empresa foi o caos. Incapaz de comercializar a novidade, e se sentindo sem opção, a Norwegian adotou no plano externo uma estratégia de baixo custo, o que na prática significava derrubar preços no último minuto. A estratégia só piorou as coisas. Com a pressão do *overload* crescendo – processo agravado pelas mudanças no controle, que abriam mais e mais distância entre a liderança e a linha de frente –, a Norwegian perdeu o contato com a mentalidade do fundador. Ao assumir a presidência, Sheehan logo viu isso. No próximo capítulo, vamos mostrar como essa constatação ajudou o executivo a dar uma guinada na empresa e a transformá-la em uma espetacular insurgente com escala.

STALL-OUT: A CRISE DO CRESCIMENTO BAIXO OU EM DESACELERAÇÃO

A desaceleração do *stall-out, estagnação*, acomete empresas que conseguiram crescer e, agora, se debatem com os desafios da complexidade. Níveis crescentes de burocracia e disfunção interna ameaçam fundir os motores que levaram a empresa ao sucesso. A estagnação afeta incumbentes, que ocupam o quadrante superior esquerdo do mapa da mentalidade do fundador. É uma crise desnorteante: os líderes sabem que a empresa está perdendo embalo, mas, quando acionam os controles que antigamente usavam para acelerar ou mudar de direção, o efeito é mínimo. É visível que *algo* mudou. Mas, devido à complexidade da organização, fica difícil saber o quê, exatamente – ou que providências tomar.

A estagnação é uma crise previsível e perigosa. Consideremos o seguinte:

É comum. Na Bain & Company, seguimos o desempenho de mais de oito mil empresas no mundo todo. Quando analisamos os dados, eis o que vemos: entre as empresas que conseguiram passar da insurgência à incumbência durante um período recente de 15 anos – cerca de uma a cada cinco –, dois terços enfrentaram estagnação.[3] A lista inclui luminares como Panasonic, Sony, Time Warner, Sharp, Bristol-Myers Squibb, Philips e Mazda. Além disso, de cada sete grandes empresas que entram em desaceleração, menos de uma consegue recuperar o poder de mercado e o embalo anterior.

Pode surgir do nada. Há pouco, fizemos um estudo de 50 empresas de grande porte em plena *estagnação*, traçando a taxa de crescimento da receita ao longo do tempo. Descobrimos algo impressionante. Nessas empresas, a freada foi incrivelmente súbita: o crescimento estancou em coisa de anos e, na sequência, caiu depressa, não raro despencando de dois dígitos para um, e até para taxas negativas (veja a figura 2-1). Isso coincide com as conclusões de um vasto estudo feito anteriormente pelo Corporate Executive Board, que analisou 50 anos de *estagnação* em empresas americanas de capital aberto. "O crescimento não diminui gradativamente", concluíram os autores do estudo, acrescentando: "Cai como uma pedra".[4]

É um problema interno, causado pelo crescimento. Para 94% dos executivos de grandes empresas, a disfunção interna é o maior obstáculo à manutenção de um crescimento rentável.[5] O irônico, obviamente, é que essa disfunção decorre de tudo aquilo que a jovem insurgente batalhou para conquistar: tamanho, reconhecimento, experiência, recursos, capital e posição no mercado. O fato não chega a surpreender. Conforme cresce e ganha complexidade, a empresa perde a destreza e a flexibilidade exigidas para sustentar o crescimento, o que faz lembrar algo que um professor de ioga já setentão disse certa vez a um de nós sobre o processo de envelhecimento humano: "Você não fica velho e enferruja", disse. "Você enferruja e, *então*, fica velho."

FIGURA 2-1

Velocidade de grandes estagnações

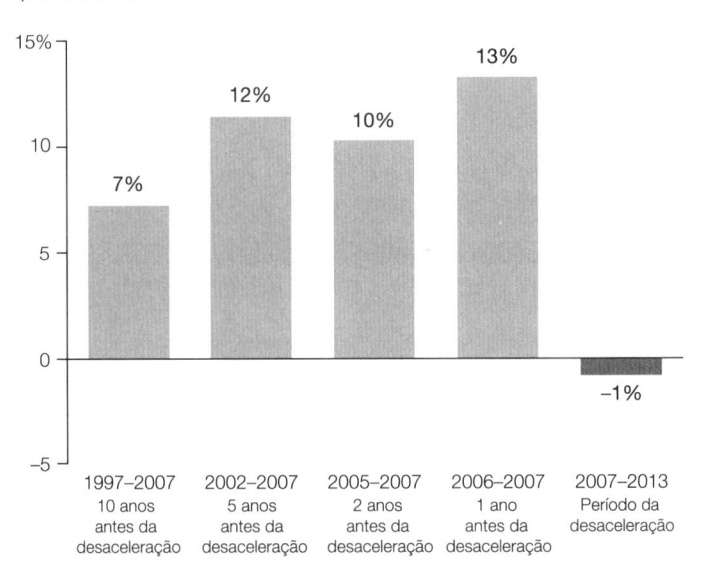

CAGR da receita nos 50 maiores casos de queda de valor de mercado em 2007–2013

Período	CAGR
1997–2007 (10 anos antes da desaceleração)	7%
2002–2007 (5 anos antes da desaceleração)	12%
2005–2007 (2 anos antes da desaceleração)	10%
2006–2007 (1 ano antes da desaceleração)	13%
2007–2013 (Período da desaceleração)	–1%

The Home Depot

Poucas histórias ilustram tão bem o impacto da estagnação quanto a da americana The Home Depot, a maior do mundo no setor de construção, reforma e decoração e a quarta maior varejista dos EUA.

O segredo do sucesso inicial da The Home Depot está diretamente ligado à dupla de fundadores Bernard Marcus e Arthur Blank, que resolveu criar uma empresa que estabelecesse com o público uma relação próxima e direta de assessoria – um exemplo clássico de mentalidade do fundador em ação. O mantra da empresa era "Whatever it takes" [algo como "custe o que custar"]. A dupla fazia questão de ir pessoalmente orientar os vendedores sobre como atender a clientela. O pessoal, por sua vez, estava sempre pronto a ajudar o cliente – com workshops sobre projetos de reforma ou na assessoria diária nas lojas. Com essa estratégia, a empresa conseguiu se diferenciar e conquistar um público fiel – e, por anos, teve uma história de grande sucesso. De sua fundação em 1978 até 2000, a The Home Depot bateu reiteradamente expectativas de analistas e metas anuais de crescimento do lucro, de 20%. Já em dezembro de 2000, depois de soltar um balanço pior do que o esperado e preocupada cada vez mais com sistemas obsoletos (sobretudo de TI) em uma empresa cujo faturamento beirava os US$ 50 bilhões, o conselho de administração instalou na presidência Robert Nardelli, um alto executivo oriundo da GE. A ideia era injetar na The Home Depot parte da disciplina de uma grande empresa.

Nardelli instituiu um modelo de "comando e controle". No começo de 2006, 98% dos 170 principais postos executivos da The Home Depot tinham um novo ocupante e 56% dos novos gerentes na matriz tinham vindo de fora. Em vez de manter o relacionamento com clientes e o entusiasmo da linha de frente no rol de grandes prioridades da empresa, como fizeram os fundadores por tanto tempo, Nardelli e equipe promoveram cortes nessas áreas para melhorar os resultados trimestrais, segundo analistas. Trocaram muitos veteranos que trabalhavam em tempo integral por gente mais barata, em esquema de meio período. A qualidade do atendimento ao cliente caiu. Em tom de chacota, alguns diziam que o "Faça você mesmo" tinha virado "Ache você mesmo". Laços de confiança que existiam entre clientes, vendedores e gerentes se desfizeram, corroendo a mentalidade do fundador.

Em 2006, quando a University of Michigan divulgou seu ranking anual de satisfação do consumidor – o American Customer Satisfaction Index –, a The Home Depot despencara para o último lugar entre as grandes varejistas dos EUA. Ficou com 67 pontos, 11 a menos que a maior rival, a Lowe's, e três abaixo da enxovalhada Kmart. Entre 2000 a 2007, seu valor de mercado caiu 55% e as lojas registravam o quarto ano consecutivo de queda no fluxo de clientes e perda de posição para concorrentes.

No intuito de entender a situação, o conselho de administração fez reuniões em campo para ouvir o pessoal da linha de frente – e viu que um padrão se repetia naquilo que ouvia. Preocupados com o futuro, funcionários martelavam reiteradamente a mesma tecla, que um membro do conselho nos descreveu como "a perda de poder de funcionários antigos das lojas e a sensação de que o contrato social entre empresa, funcionários e clientes estava sendo rompido". Fomos buscar mais informações com Greg Brenneman, especialista internacional em recuperação de empresas e membro mais antigo do conselho da companhia. "Dava para ver que havia problemas sérios pululando sob a superfície quando sondávamos a empresa", contou Brenneman. "Embora as vendas estivessem subindo, o fluxo de clientes vinha caindo sem parar. Gerentes de lojas se sentiam atolados sob dezenas de planilhas e métricas financeiras que ocupavam um tempo que devia ser dedicado a clientes e à gestão das lojas. O pessoal mais experiente – gente que realmente entendia de elétrica ou hidráulica –, tinha sido despedido e substituído por vendedores em meio período que ganhavam menos e tinham menos experiência. O fluxo de clientes, o oxigênio de qualquer varejista, estava caindo. Novas lojas, cuja inauguração fora acelerada para turbinar o crescimento e os resultados trimestrais, não vinham dando bom retorno, levando a novos cortes de pessoal. Estávamos perdendo sustentação e precisávamos tomar um outro rumo."[6]

A The Home Depot tinha entrado em *estagnação*. Por sorte, a empresa trocou Nardelli por outro CEO – Frank Blake –, que recorreu à mentalidade do fundador para lançar uma série de iniciativas cujo objetivo era renovar os laços com o pessoal da linha de frente e com clientes, além de administrar bem as lojas. No quarto capítulo, veremos em detalhe como a empresa conseguiu se reerguer.

QUEDA LIVRE: CRISE DE OBSOLESCÊNCIA E DECLÍNIO

A queda livre pode ocorrer em qualquer ponto do ciclo de vida de uma empresa. É mais comum, no entanto, em incumbentes já estabelecidas cujo modelo de negócios está sob sério ataque de novas insurgentes (caso de livrarias atacadas pela Amazon) ou já não é tão viável em um mercado em transformação (caso da Blockbuster e do aluguel de vídeo em lojas físicas quando a capacidade de baixar conteúdo pela internet surgiu).

Se for um dos poucos a já ter vivido uma queda livre, o leitor sabe como é horrível a sensação. A perda de embalo e controle. A angústia de sentir que a empresa se prepara para despencar. A espiral descendente de eventos. A perspectiva da tragédia iminente. A constatação de que os comandos que antes funcionavam tão bem já não produzem nenhum efeito.

Na estagnação, que já era ruim o bastante, havia tempo para refletir sobre o que fazer em seguida e, provavelmente, muitas opções a seu dispor. Na queda livre, no entanto, a colisão se avizinha e o tempo está se esgotando.

Das três crises previsíveis do crescimento, a queda livre é a mais perniciosa. A qualquer momento no mercado, entre 5% e 7% das empresas está em queda livre ou prestes a iniciar a descida. E o dado mais alarmante é que, dessas, somente cerca de 10% a 15% (dependendo de sua definição de sucesso) consegue escapar viva. Além disso, metade das que conseguem a proeza só sobrevive porque redefiniu radicalmente pelo menos parte do *core business*.[7] Nessa crise, não há tempo para a empresa *redescobrir* a insurgência. É preciso agir depressa – muito depressa – para *redefini-la*.

À primeira vista, as causas da queda livre em geral parecem ser externas: uma crise financeira global, um colapso do sistema bancário, a desregulamentação do setor ou, o que é mais comum, a exploração de um novo modelo de negócios ou uma nova tecnologia por uma rival insurgente, ágil. Turbulências como essas no mercado são a face visível do problema – e estão aumentando. Calculamos que, na década de 1985 a 1994, apenas metade dos mercados foram sacudidos por forças que definimos como turbulentas, ao passo que duas décadas depois, de 2005 a 2014, o impacto atingiu cerca de dois a cada três mercados.[8] Mas a turbulência tende a ser o *gatilho* da queda livre, não a causa. Em geral, essa causa é interna, não externa: a empresa não se preparou para o problema externo, não se adaptou depressa o bastante ou não tinha um motor de negócios de segunda geração pronto para ser acionado quando o motor de primeira geração ficasse obsoleto.

Os sintomas da queda livre são extremos. Seu desempenho financeiro piora rapidamente. As perspectivas de crescimento e o valor de mercado despencam. Analistas e investidores começam a chiar. Importantes indicadores de sucesso, como fidelidade do cliente e participação de mercado, deterioram de um jeito jamais visto. A família e os amigos começam a temer por você. Pensemos na Kodak, que na década de 1990 era a líder aparentemente invencível do setor, dona de uma participação de mercado de 80% em seu principal negócio, o filme fotográfico – mas que, na esteira, entrou em queda livre e acabou quebrando em 2012. De 2000 para cá, muitas outras empresas que um dia dominaram o mercado sofreram tombo parecido, incluindo AIG, Blockbuster, Gateway, General Motors, Lehman Brothers, Nintendo, Panasonic, RIM e Sharp, para citar apenas algumas.

Quando pedimos a um executivo da Kodak que testemunhou a queda livre da empresa que explicasse o que aconteceu, a resposta foi simples: o "digital". É a explicação normalmente ouvida quando o caso da Kodak é discutido – e o repentino avanço da tecnologia digital é, sim, um importante fator em um crescente número de casos de queda livre. Mas, a nosso ver, a resposta é perigosamente incompleta. Embora a ascensão da tecnologia digital tenha precipitado uma mudança no setor que deflagrou o processo de queda livre da Kodak, o que selou o destino da empresa foi o fato de não estar preparada para enfrentar uma tormenta. E a razão disso era interna, não externa.

Para entender um pouco melhor a queda livre, vejamos o caso da Charles Schwab, uma empresa que partiu imbuída do espírito da mentalidade do fundador, teve um dos melhores desempenhos na bolsa por mais de uma década e, na sequência, entrou em queda livre, mergulhando para um desastre.

Charles Schwab: rumo à queda livre

A história começa em 1973. Charles Schwab, então um jovem consultor de investimentos, resolveu abrir uma corretora barateira em São Francisco, na Califórnia, para atrair o investidor pequeno, mas entendido. Faltando apenas dois anos para a desregulamentação de taxas de corretagem, Schwab achou que podia criar uma corretora singular, perfeita para o cliente que sabia investir, que queria ter controle sobre suas aplicações, que buscava ferramentas simples para aplicar e fugia de taxas altas.

Schwab lançou a empresa com uma missão insurgente forte e de incrível utilidade. "O [Charles] criou a firma com um profundo senso pessoal de indignação com a exploração sistemática dos clientes pelo setor de corretagem", declarou John Kador no livro *Charles Schwab: How One Company Beat Wall Street and Reinvented the Brokerage Industry*.[9] Movida por essa indignação sentida pelo fundador, a Schwab rapidamente virou uma líder em inovação. Foi a primeira a oferecer ferramentas eletrônicas de investimento ao cliente, a primeira a lançar um grande supermercado de fundos de investimento (OneSource), a primeira a criar uma plataforma de corretagem on-line – além de cobrar as menores taxas do mercado. Foi, em suma, a primeira levar a internet ao investidor pessoa física, que nas décadas seguintes acorreria à empresa aos montes. Nos anos 1990, a cotação dos papéis da Schwab tinha se multiplicado por mais de 100. No setor de serviços financeiros, a empresa tinha o melhor desempenho em sua categoria. "Estávamos pagando almoço para todo mundo, contratando rápido, sentindo o vento nas costas", comentou um executivo sobre a vida na Schwab no final da década de 1990. "As operações tinham dobrado no ano anterior e estávamos contratando gente o mais depressa que podíamos".

Até que, de repente, três tempestades distintas atingiram a empresa, todas externas. Uma foi o colapso da bolha da internet e a queda da cotação de ações de empresas de tecnologia – parcela imensa das operações da Schwab. Outra foi a chegada de rivais insurgentes como E*Trade e Ameritrade, que vieram com um modelo de negócios de baixíssimo custo visando o exército de *day traders* e operadores eletrônicos que dependia da internet e passara a representar uma grande parcela do *profit pool* do setor. Já a terceira tormenta era a queda no volume nas bolsas devido ao colapso do mercado. Foi uma ruptura tripla – e, como se viu, a Schwab não estava preparada. "Nosso volume de transações caiu 50%", disse o executivo da Schwab com quem falamos. "O pessoal que tínhamos contratado na afobação em geral não era muito bom, comprometendo o atendimento ao cliente. Índices de satisfação dos clientes começaram a cair. A queda na receita e o arrocho nos preços devido às novas rivais mostraram até que ponto nossos custos tinham subido. Mas a interpretação era muito subjetiva e as soluções cogitadas à época – incluindo criar ainda mais serviços para o cliente – não iriam trazer a ordem de volta".

Não iriam mesmo. Em 2000, a empresa tentou mudar o rumo com um lance arriscado que a afastava do *core*: a compra da U.S. Trust, uma firma tradicional de gestão de recursos – sendo que a Schwab fora criada para fazer frente exatamente a esse tipo de empresa exclusiva. Executivos da Schwab tomaram a decisão por uma questão de diversificação e para oferecer uma linha mais completa de serviços à clientela, mas a tacada só serviu para abalar o *core*, não revigorá-lo. Um alto executivo à época, Charles Goldman, se lembra de ter ficado muito preocupado. "A compra da U.S. Trust trouxe uma tremenda complexidade justamente quando menos precisávamos", disse. "De repente, em plena crise, tínhamos um banco do outro lado do país, com outra cultura, com questões regulatórias que nem entendíamos. A gerência teve de gastar um tempo enorme nisso, uma verdadeira distração considerando a urgência de mudança no nosso *core business*."[10]

Na mesma época, em outra campanha para salvar a empresa, a equipe de liderança lançou uma iniciativa batizada de Project Renaissance, criando oito segmentos de clientes, cada qual com produtos distintos e novos serviços. A tese era que uma linha mais sofisticada de produtos ajudaria a preservar os preços. Na prática, porém, isso produziu o que um executivo nos descreveu como "um pesadelo de complexidade que começou a confundir de vez nossa mensagem para o cliente". Logo depois, a empresa se expandiu ainda mais em mercados de capitais e começou se aventurar internacionalmente. "Fomos tragados por uma iniciativa atrás da outra e isso teve o efeito de nos afastar ainda mais de uma solução para o verdadeiro problema", disse Goldman.

Conforme a queda livre acelerava, a Schwab viu a dinâmica interna deteriorar e começou a perceber que a dificuldade de reagir à crise fora da empresa tinha profundas raízes dentro de casa. "A cultura mudou para evitar perdas", ouvimos de um executivo. "As pessoas passaram a se preocupar mais em manter o emprego do que fazer o que era certo. Altos executivos estavam agindo como agentes, não como principais." Outro gerente lembrou: "Descobrimos que tínhamos criado uma burocracia impossível. As vozes mais fortes eram de funcionários que se reportavam ao CEO. Esse pessoal dominava as reuniões, enquanto que os gerentes de linha mais próximos do cliente ficavam só [ouvindo], frustrados. Era como se tivéssemos tirado o poder do pessoal que realmente sabia qual era o problema".

O grande golpe para o próprio Charles Schwab foi quando uma corretora barateira, a TD Waterhouse, começou a veicular, na TV, uma série de comerciais – com um ator sisudo da série *Law & Order* – que colocavam a Schwab no mesmo saco da Merrill Lynch e de outras corretoras tradicionais: as firmas grandes, complexas e careiras das quais a Schwab sempre fizera questão de se diferenciar. Para piorar as coisas, o Net Promoter Score (indicador da *customer advocacy*, a lealdade do cliente)[11] da Schwab nas operações com investidores pessoa física tinha caído para 34 negativos. A empresa agora tinha 34% mais detratores do que promotores em sua própria base de clientes.

O investidor percebeu. De 2000 a princípios de 2004, o valor de mercado da Schwab caiu cerca de 75%. Ciente da necessidade de uma intervenção rápida e drástica, em 2004 o conselho de administração convenceu Charles Schwab a reassumir a presidência. Assim que voltou, Schwab declarou que a empresa tinha "perdido contato" com sua herança e lançou imediatamente um programa de reestruturação. Para tocar o programa, alistou Goldman, que partilhava a visão de que a Schwab tinha abandonado as próprias raízes. Ao relembrar aquele período, Goldman disse: "Os indicadores do declínio eram óbvios. As estatísticas [ligadas ao] cliente estavam em queda, nossa ação estava despencando e estávamos perdendo participação de mercado. Os preços tinham subido e, em vez de tentar descobrir como recuperar a força e voltar a ser competitivos, começamos a nos convencer de que a resposta estava na diversificação (...) e em achar maneiras de defender os preços altos. Essas duas ideias se provaram equivocadas.

Assim como a Norwegian Cruise Line e a The Home Depot, a Schwab conseguiu sobreviver à crise do crescimento com a volta à mentalidade do fundador. No quinto capítulo, veremos exatamente o que fez.

O QUE OS DADOS REVELAM SOBRE A CRIAÇÃO DE VALOR DURANTE AS TRÊS CRISES DO CRESCIMENTO

Essas três crises do crescimento – *overload*, *estagnação* e *queda livre* – são momentos de tremenda incerteza nos quais a empresa precisa agir para manter o embalo ou prevenir uma catástrofe. Se não forem enfrentadas, podem destruir quantidades imensas de valor. Mas eis a boa notícia: também podem ser uma grande oportunidade. Se enfrentadas corretamente, cada crise dessas pode ser convertida em um momento de tremenda geração de valor.

Quando examinamos há pouco os 25 maiores casos de criação ou destruição de valor com os quais já trabalhamos na Bain, descobrimos um dado impressionante: todos eles envolviam uma empresa às voltas com uma dessas três crises. E por quê? Em geral, porque um aumento ou queda sustentados nas expectativas de crescimento de uma empresa (que podem ser frágeis) deflagra grandes variações em valor (algo que é possível ver nos exemplos ao longo do livro).

Para analisar esse processo de forma mais sistemática, escolhemos 20 empresas que conhecíamos bem e que possuíam um longo histórico de criação de valor ou de altos e baixos. Em seguida, analisamos seus últimos 30 anos. Até onde possível, dividimos as variações no valor em duas partes: (1) quando as empresas estavam passando por uma de nossas três crises e (2) momentos em que não estavam (crescimento constante, períodos de diversas aquisições, períodos de diversificação). O resultado? Cerca de 80% das grandes variações na criação de valor (e os maiores picos) ocorreram durante esses três períodos.

Na figura 2-2, é possível ver claramente que as maiores variações – responsáveis pela maior parte de todo o valor criado – ocorrem durante a *journey north*, o período insurgente no qual uma empresa jovem está tentando reunir recursos para crescer de cinco a até dez vezes e se transformar em um ator importante e estabelecido no setor. A segunda maior variação ocorre durante a fase final do ciclo de crescimento da empresa, quando a queda livre começa a se manifestar.

Para estabelecer o elo entre o diagrama da figura 2-2 e as três crises previsíveis, imagine o *overload* como a crise que uma insurgente deve superar para aumentar ou manter o crescimento (a barra "Insurgente"), a estagnação como um grande desafio da incumbência (a barra "Incumbente") e a queda livre como um período bastante complexo, com grandes oscilações no valor e no desfecho (três barras: "Maturidade avançada", "Renovação" e "Contínuo declínio"). Fizemos essa última divisão por vários motivos. Primeiro, queríamos mostrar que as variações de valor que registramos se distribuem por uma grande faixa. Segundo, queríamos separar empresas sob risco iminente de queda livre, empresas que souberam se renovar e empresas que não conseguiram se reerguer.

FIGURA 2-2

Ritmo de criação de valor durante fases distintas do ciclo de vida de empresas

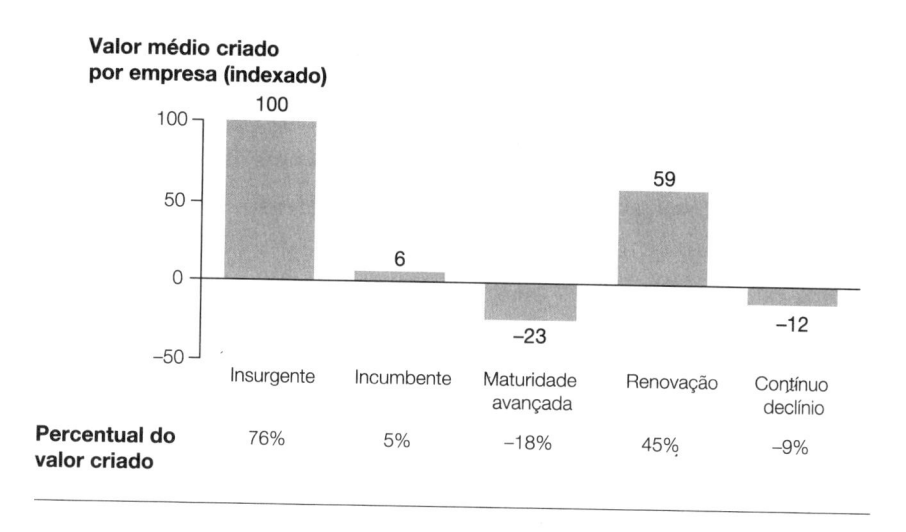

Valor médio criado por empresa (indexado)

	Insurgente	Incumbente	Maturidade avançada	Renovação	Contínuo declínio
Valor	100	6	−23	59	−12
Percentual do valor criado	76%	5%	−18%	45%	−9%

O QUE OS DADOS REVELAM SOBRE A INTERAÇÃO DESSAS TRÊS CRISES INTERNAS COM DESAFIOS EXTERNOS ENFRENTADOS PELA EMPRESA

Começamos este livro falando do paradoxo do crescimento – de como o sucesso no crescimento da empresa no plano externo pode produzir, no interno, forças capazes de inibir a onda subsequente de crescimento rentável ou até de reverter o embalo. Não quer dizer que a empresa não enfrente desafios impostos por concorrentes ou clientes com necessidades novas, ou por novas tecnologias. Longe disso: atualmente, bem mais de metade de todas as empresas enfrenta ao menos uma forma de ameaça externa importante a seu modelo de negócios ou mercado (um produto ou serviço que pode substituir o seu, uma grande mudança nos motores do lucro do setor, uma mudança radical em necessidades do cliente ou hábitos de consumo). Ao fazer estudos de casos, refletir sobre nossa própria experiência na Bain, entrevistar equipes de gestão ou ouvir executivos, contudo, descobrimos que de cada cinco problemas fora dos muros da empresa, mais de quatro têm relação com problemas internos – problemas que diminuem a capacidade da empresa de se adaptar, decidir e agir com rapidez, de abraçar novas ideias, de controlar custos ou de melhorar sua capacidade de atender o cliente. A certa altura, obviamente, a narrativa externa e a interna precisam convergir: não dá para vencer de forma sustentada no plano externo se estiver perdendo internamente, e vice-versa. Isso vale até na queda livre, conforme veremos no quinto capítulo, quando iremos explorar não só o exemplo da Charles Schwab, mas também o da DaVita e o da Crown Castle.

A figura 2-3 sintetiza os resultados de duas pesquisas que fizemos com uma amostra de executivos sobre obstáculos que enxergavam ao crescimento.

A primeira bateria de resultados exibida no gráfico vem de uma pesquisa com 325 executivos de todo o mundo sobre seus desafios de crescimento; a segunda bateria é de executivos que participaram de nossos simpósios DM100 em mercados em desenvolvimento. Nessa pesquisa, vimos que obstáculos internos ao crescimento eram citados por executivos com frequência quatro vezes mais do que obstáculos externos. Barreiras internas ao crescimento eram citadas cerca de cinco vezes mais do que a falta de oportunidades no mercado para obter novas fontes de crescimento rentável. Além disso, um total surpreendente de 94% dos obstáculos citados por executivos de empresas de grande porte tinha raízes na disfunção interna e na ausência de recursos internos.

AS TRÊS CRISES PREVISÍVEIS DO CRESCIMENTO

FIGURA 2-3

Obstáculos ao crescimento rentável são tanto internos como externos — e é mais difícil para líderes superar os internos

PESQUISA FOUNDER'S MENTALITY (N = 325)
% DE EMPRESAS

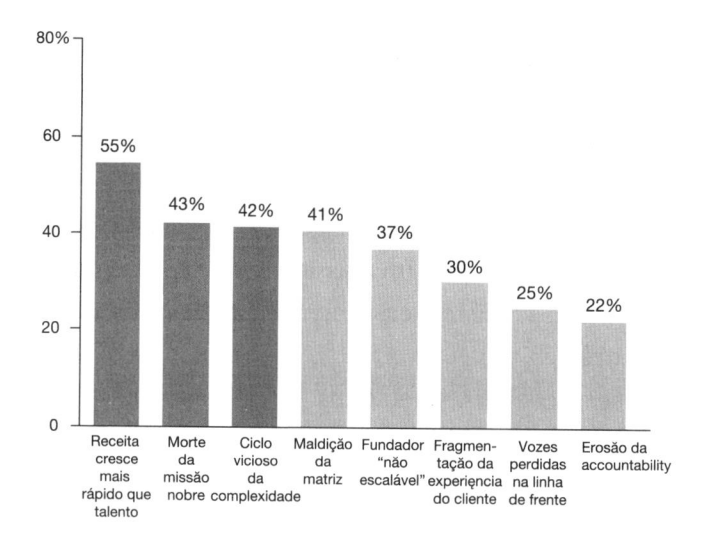

Obstáculo	%
Receita cresce mais rápido que talento	55%
Morte da missão nobre	43%
Ciclo vicioso da complexidade	42%
Maldição da matriz	41%
Fundador "não escalável"	37%
Fragmentação da experiência do cliente	30%
Vozes perdidas na linha de frente	25%
Erosão da accountability	22%

PESQUISAS DEVELOPING MARKETS 100 (N = 56)
% DE EMPRESAS

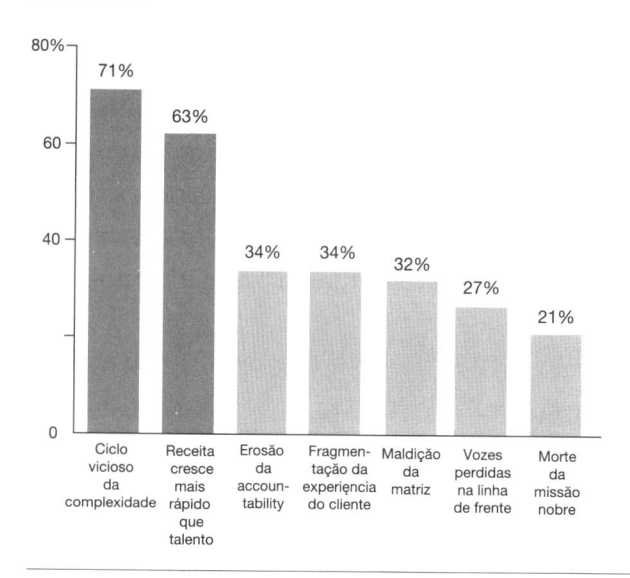

Obstáculo	%
Ciclo vicioso da complexidade	71%
Receita cresce mais rápido que talento	63%
Erosão da accountability	34%
Fragmentação da experiência do cliente	34%
Maldição da matriz	32%
Vozes perdidas na linha de frente	27%
Morte da missão nobre	21%

E quais seriam esses obstáculos internos? No *overload*, envolvem forças previsíveis que chamamos de *ventos contrários*, já que empurram a empresa para a esquerda – para o quadrante superior esquerdo do mapa. Na estagnação, envolvem uma série de forças previsíveis que chamamos de *ventos que derrubam*, pois empurram incumbentes para baixo, para o quadrante inferior esquerdo do mapa. E, na queda livre, envolvem uma disfunção sistêmica no seio da empresa que a impede de se adaptar a profundos desafios estratégicos no plano externo – o que chamamos de *tempestades*, em geral ligadas à obsolescência de alguma parte do modelo de negócios. O caso da Nokia, citado na introdução do livro, seria um clássico exemplo, a epítome da "ruptura" que Clayton Christensen identifica e discute em seu clássico sobre a ruptura.[12]

Agora é hora de sermos mais específicos.

VENTOS CONTRÁRIOS: *OVERLOAD* E EROSÃO DA FOUNDER'S MENTALITY

Para promover o crescimento de um novo empreendimento é preciso buscar benefícios da escala sem deixar de ser fiel à mentalidade do fundador. Essa é a essência daquilo que chamamos de caminho da ascensão, ou *journey north*: a viagem da insurgência, no canto inferior direito do mapa, à insurgência com escala, no quadrante superior direito. Para ter sucesso na jornada, no entanto, a empresa deve prever e se preparar para lidar com ventos contrários: as forças internas que podem desviá-la da rota. Identificamos quatro deles, conforme indicado na figura 2-4. A seguir, uma breve introdução de cada um deles.

O fundador "não escalável"

Todo mundo conhece a figura do fundador dedicado que já não dá conta do recado uma vez que a empresa cresce, mas que simplesmente não quer soltar as rédeas, criando um gargalo que impede o crescimento. Nossa pesquisa indica que esse problema afeta uma de cada três empresas em fase de crescimento – e estudos sobre IPOs mostram que pode reduzir drasticamente o retorno médio de um investimento. Quando falamos com líderes que tinham passado por uma grande dificuldade nessa trajetória de ascensão, de cada cinco cerca de dois citaram o fundador "não escalável" como uma das causas.[13]

FIGURA 2-4

Ventos contrários

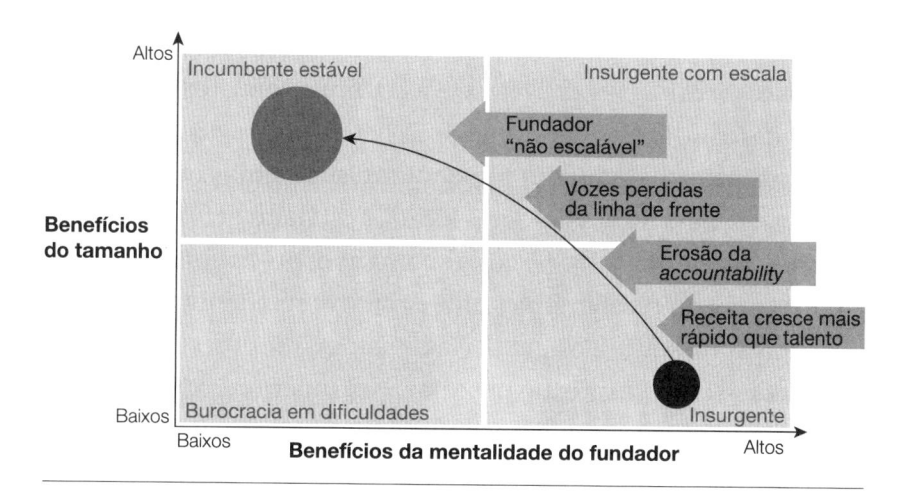

```
Altos │ Incumbente estável          │ Insurgente com escala
      │                             │     Fundador
      │          ●                  │     "não escalável"
      │                             │     Vozes perdidas
Benefícios                          │     da linha de frente
do tamanho                          │
      │                             │     Erosão da
      │                             │     accountability
      │                             │     Receita cresce mais
      │                             │     rápido que talento
Baixos│ Burocracia em dificuldades  │  ●  Insurgente
      └─────────────────────────────┴──────────────
       Baixos   Benefícios da mentalidade do fundador   Altos
```

Vozes perdidas da linha de frente

Quando insurgentes bem-sucedidas são atingidas pela rajada de exigências do *overload*, seus gerentes reagem de um modo que acaba distanciando a liderança da linha de frente. E isso, por sua vez, produz um vento contrário que afasta a empresa dos benefícios da mentalidade do fundador.

A erosão da *accountability*

A *accountability*, ou prestação de contas, diminui com frequência surpreendente durante o *overload*. Baratinados por novas camadas de burocracia e complexidade, e lutando para dar conta de todas as demandas do crescimento no curto prazo, líderes e gerentes tomam decisões sem direta responsabilização. Dos 325 executivos que entrevistamos, 46% acreditavam que a mentalidade do fundador perdera força devido a um processo decisório disfuncional e sem prestação de contas – o que pode paralisar a empresa.

Receita cresce mais rápido que talento

À medida que o ritmo do crescimento acelera, é comum a empresa começar a cometer erros e a acumular detritos que acabarão por destruí-la. Em nenhuma área isso é mais evidente do que na da contratação. Enquanto tenta administrar uma complexidade que só cresce, a insurgente bem-sucedida comete erros na seleção de pessoal. Contrata, para cargos de comando, profissionais com experiência em empresas grandes, que promovem mudanças drásticas e disruptivas na cultura original. Nos escalões inferiores, reforçam a equipe a um ritmo veloz e, no processo, costumam sacrificar a qualidade por quantidade. Não demora para que o pessoal perca contato com a missão e os princípios originais da empresa, volte a atenção para o próprio umbigo e perca o foco na linha de frente – e passe a pensar mais do que a agir.

VENTOS QUE DERRUBAM: A REVERSÃO DOS BENEFÍCIOS DA ESCALA

Muitos executivos parecem aturdidos com a dolorosa desaceleração que acompanha a incumbência. Mas não sentem nenhuma dificuldade para descrever os sintomas:

Perdemos contato com os clientes. Ficamos burocráticos demais. Estamos afundando em processos e apresentações de PowerPoint. Temos recursos e oportunidades de sobra, mas parece que perdemos a capacidade ou a vontade de tirar partido deles. Tudo é complicado, todo mundo está cansado. Concorrentes parecem mais ágeis do que antes e não conseguimos tomar decisões ou nos mobilizar com suficiente rapidez. Antes, um dia bom no trabalho significava tomar decisões e agir, mas hoje significa participar de uma grande reunião de chefes de departamento, cuja pauta pode ser "criar alinhamento em torno da estratégia" ou produzir um aumento de 0,25 ponto no retorno sobre o capital médio ponderado. Tocar o negócio – que já foi um projeto pessoal, de alta energia – agora parece pilotar um avião imenso, pesadão. Perdemos contato com nossa razão original de ser e já não sabemos qual a meta além do orçamento anual, e nem de onde virá o novo crescimento.

Isso tudo é efeito dos ventos que derrubam, que resumimos na figura 2-5. Esses ventos criam complexidade interna, debilitam e desaceleram a tomada de decisões, despersonalizam a experiência do cliente e corroem ou turvam a missão central, o que produz desilusão e alienação entre o pessoal.

Juntos, os ventos que derrubam podem transformar a força da incumbência na vulnerabilidade da burocracia e destruir o vigor da empresa e a energia de seu pessoal. São forças que ameaçam fazer a empresa perder sustentação, ou *estagnar*.

Vejamos cada uma separadamente.

FIGURA 2-5

Ventos que derrubam

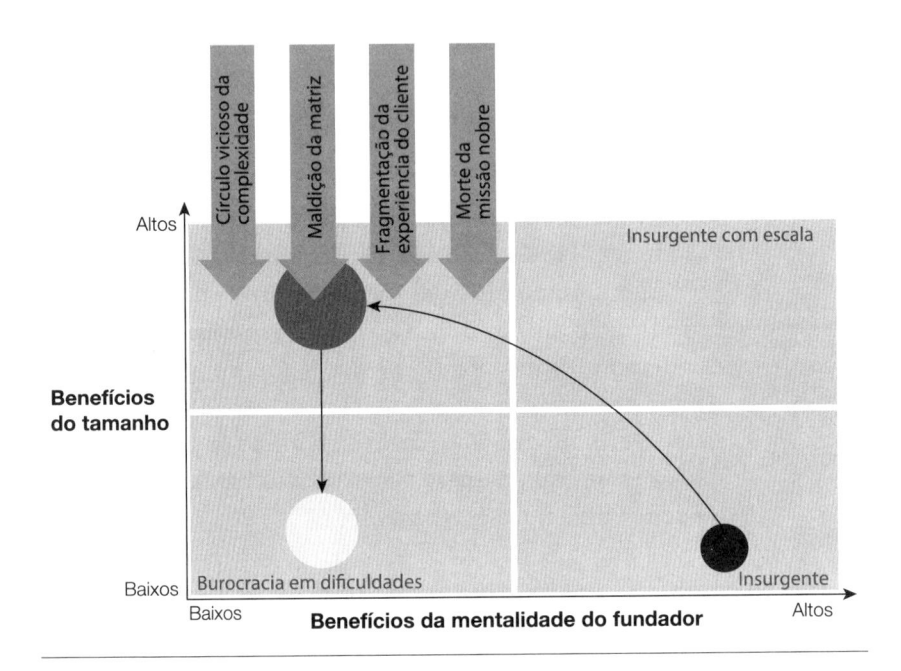

Ventos: Círculo vicioso da complexidade; Maldição da matriz; Fragmentação da experiência do cliente; Morte da missão nobre.

Eixo vertical: Benefícios do tamanho (Baixos – Altos)
Eixo horizontal: Benefícios da mentalidade do fundador (Baixos – Altos)

Quadrantes: Insurgente com escala; Burocracia em dificuldades; Insurgente.

Círculo vicioso da complexidade

Toda empresa começa com um único produto, um único segmento e uma única forma de abordar o mercado. Aí começa o crescimento, trazendo novas oportunidades, novos segmentos de clientes, novas geografias, novas linhas de produtos, novos negócios, novos canais de distribuição e novos serviços. Para uma empresa, são verdadeiros objetos do desejo, pois trazem energia e gratificação imediata. Só que isso tudo também produz complexidade e leva ao que chamamos de círculo vicioso da complexidade: a complexidade desenfreada que destrói silenciosamente o crescimento e suga energia da organização, deixando os líderes cansados. E líderes cansados se desviam da missão crucial de converter a estratégia em ações e rotinas simples para a linha de frente do negócio.

A complexidade não precisa ser algo negativo. Afinal, incumbentes são multinacionais com carteiras de produtos complexas, feitas para satisfazer necessidades complexas da clientela. Se bem administrada, pode ser até uma vantagem competitiva. Uma fabricante de bens de consumo capaz de atender com eficiência as complexas necessidades de varejistas multinacionais tem uma vantagem crucial sobre as demais. Construtoras capazes de oferecer soluções sob medida para clientes com exigências peculiares podem praticar margens maiores.

Uma das grandes vilãs deste livro, a complexidade naturalmente não é uniforme. Varia de uma organização para outra – e até numa mesma organização – e precisa ser combatida em vários planos distintos. Mas a moral da história é que, para resistir aos ventos que derrubam, a empresa precisa fazer da redução da complexidade um verdadeiro hábito.

As que conseguem criam uma organização mais horizontal, que aproxima a liderança dos clientes, é mais capaz de preservar a mentalidade do fundador e tem uma rentabilidade mais sustentada. Steve Jobs sabia disso. Daí que, ao voltar à Apple para reerguer a empresa, sua primeira providência foi diminuir a complexidade da organização (Jobs consolidou uma série de departamentos), da linha de produtos (eliminou 70% deles), da pesquisa (manteve apenas um punhado de projetos), do design (a simplicidade voltou a ser o mantra) e da carteira de fornecedores (cujo total caiu de 100 para 24). "As pessoas acham que ser focado significa dizer sim a uma coisa na qual é preciso se concentrar", disse Jobs em 1997 durante a conferência mundial para desenvolvedores que a empresa faz todo ano, a Worldwide Developers Conference. "Mas não é nada disso. Significa dizer não às centenas de outras boas ideias por aí. É preciso escolher bem. Aliás, tenho tanto orgulho das coisas que não fizemos como das que fizemos".

A maldição da matriz

Empresas de grande porte, já maduras, muitas vezes conseguem operar bem como uma organização matricial. Nelas, a responsabilidade é formalmente atribuída a gerentes em fatias transversais da organização, em departamentos (financeiro ou vendas), em geografias (países ou regiões), em segmentos de clientes (governo ou pequenas empresas) ou em categorias de produtos (hardware, software, serviços).

O problema é que, numa organização matricial, prioridades setoriais podem ofuscar o senso de propósito coletivo, a missão insurgente que é tão importante para a mentalidade do fundador. Conforme a matriz vai crescendo, o mesmo ocorre com a burocracia. O jogo político interno consome mais tempo e energia do que nunca. Surgem nós de interação entre gerentes médios e indivíduos em cada nó desses – gente cuja única função às vezes parece ser dizer não. A clareza do fundador – a noção de que há gente para vender e gente para dar apoio a quem vende – acaba perdida em meio a tantos interesses divergentes. É o que chamamos de "maldição da matriz".

Uma organização bem-sucedida precisa tomar decisões boas e coordenar ações rapidamente. Mas a maldição da matriz trabalha contra isso e, no processo, torna a estagnação uma real possibilidade. Um de nossos colegas estudou uma organização de grande porte tomada pela lentidão burocrática. Lá, tabulou o número de horas que os funcionários da empresa dedicavam por ano, coletivamente, à reunião executiva semanal – não só participando da reunião em si, mas coordenando departamentos, definindo pautas, preparando relatórios e por aí vai. O total deixou todos boquiabertos: 300 mil horas. Uma única reunião, 300 mil horas![14]

Aplicar a estrutura organizacional da matriz a uma empresa que está crescendo inevitavelmente produz conflito interno. O problema é como esse conflito é resolvido. Insurgentes sabem disso, mas seu viés para a ação e a obsessão com a linha de frente ajudam a garantir que o conflito não emperre a organização. Já incumbentes adquirem uma verdadeira aversão ao conflito interno. Por quê?

Primeiro, porque deixam que assuma caráter pessoal. Funcionários em setores distintos da organização perdem o senso de perspectiva. Deixam que discussões gerais sobre a melhor forma de atender o cliente virem disputas pessoais. Isso significa que um funcionário ou departamento tem de "ganhar" e o outro, de "perder", uma situação que produz ondas de choque que repercutem muito além da decisão específica sendo debatida.

Segundo, porque começam a considerar o conflito algo "não profissional". Grandes organizações criam processos que parecem ter mais a ver com a gestão do tempo do que com questões ligadas ao cliente, e por isso não gostam quando um funcionário inicia um conflito que desvia a reunião do "assunto" ou faz com que "estoure o tempo previsto". Querem que a pauta e o decoro imperem.

Terceiro, porque deixam que os vampiros da energia assumam o controle. Quem já trabalhou numa empresa prestes a virar uma burocracia vai reconhecer imediatamente esses vampiros. São pessoas que vivem inventando reuniões. Em decisões cruciais, exercem o poder de veto e pedem mais e mais análise, retardando a ação. Disparam planilhas a torto e a direito. Quando o nome delas aparece em sua agenda, você treme. Ficam à espreita na outra ponta do e-mail, prontas a disparar missivas que obrigam seu pessoal a interromper o atendimento ao cliente para ir responder a mais um pedido de informações. Em vez de dividir um problema em partes menores que as pessoas possam tratar de solucionar, um vampiro levanta questões de alto nível que não podem ser resolvidas. Obriga todo mundo a travar batalhas invisíveis sob a superfície. O vampiro asfixia a organização como uma raiz estranguladora.

A maldição da matriz chega a fazer com que muitas empresas percam acesso a seus próprios recursos. Como assim? Numa organização matricial, muitos recursos ficam confinados em silos departamentais, em geral defendidos por equipes centrais imensas que viram verdadeiros ases do jogo interno. Isso desacelera o processo decisório e torna impossível concentrar recursos. Empresas grandes que perderam a mentalidade do fundador tendem a distribuir recursos de modo uniforme – instinto compreensível, mas que inevitavelmente leva à mediocridade. Grandes fundadores agem de outra forma, alocando recursos de forma bem seletiva, pois normalmente estão dispostos a investir pesado para adquirir uma nova capacidade ou enfrentar uma crise. Sua abordagem não é homogênea, mas repleta de picos.

Fragmentação da experiência do cliente

Quem não conhece esse problema? Você liga para uma empresa grande para perguntar algo e fica com a impressão de que ninguém ali quer realmente ajudar. Sua experiência como cliente é fragmentada e despersonalizada. Ninguém é "responsável" de verdade por seu problema e todo funcionário com quem você interage parece louco para encaminhá-lo a outro. Sua ligação é transferida de pessoa para pessoa, sempre em vão. Todo mundo com quem você fala parece estar preocupado apenas com seu setorzinho na organização e quer encerrar logo a conversa para fechar sua cota de chamadas atendidas. Ninguém está interessado no todo. Ninguém responde *a* você ou *por* você. O caso da The Home Depot, descrito anteriormente, é um perfeito exemplo desse problema e das consequências de não enfrentá-lo.

Morte da missão nobre

Quando falamos com executivos sobre como preservar a mentalidade do fundador à medida que a empresa vai crescendo, um fator foi mais mencionado do que qualquer outro: o intenso e estrito foco em princípios e propósito. Se o senso partilhado de missão nobre que moveu a insurgência se esvai, disseram todos, a empresa perde sua alma.

Não é conversa para boi dormir. O compromisso do pessoal com uma missão nobre produz comportamentos que geram sucesso no plano externo, pois faz as pessoas se empenharem de verdade pela empresa, pelo cliente ou por colegas. Um estudo revelou que a probabilidade de que um funcionário comprometido recomende a empresa a um amigo é 4,7 vezes maior, a de que dê sugestões para melhorar o negócio é 3,5 vezes maior e a de que tome a iniciativa de fazer algo positivo fora do normalmente esperado é 3,5 vezes maior.[15] Ao analisar esse fenômeno em call centers na linha de frente de empresas, uma turma de colegas da Bain descobriu que os funcionários mais comprometidos levam a *accountability* a novos patamares, dão seus contatos a clientes para dar seguimento ao atendimento e exibem mais empatia com clientes. Para uma equipe gestora, ignorar esses fatores é um perigo.

A história da Hewlett-Packard, uma das verdadeiras fundadoras do Vale do Silício, ilustra a importância desses princípios e mostra o que pode acontecer quando são traídos. Bill Hewlett e David Packard fundaram a empresa em 1938 com uma noção muito clara do tipo de companhia que queriam criar. "Queríamos evitar uma burocracia", Packard afirmou no livro *The HP Way*. A ideia era "criar uma empresa na qual as soluções (...) para um problema nascessem o mais próximo possível do lugar no qual ele surgiu". E não só isso, continuou Packard: "O Bill e eu não tínhamos nenhum desejo de ver a HP virar um conglomerado. Tem mais empresa morrendo de indigestão do que de inanição".[16]

Hewlett e Packard exalam a mentalidade do fundador. Seu foco no crescimento orgânico e na primazia do engenheiro levou longe a empresa. Em 1999, no entanto, o primeiro de uma série de CEOs trazidos de fora resolveu mudar o rumo do negócio e crescer à base de aquisições – incluindo, em 2002, a da fabricante de computadores Compaq. Walter Hewlett, filho de Bill, abominava essa decisão e publicou uma carta aberta aos acionistas da HP no *Wall Street Journal*. Nela, expressava seu temor pela "perda de foco e clareza estratégica" e pelos "choques culturais e o baixo moral do pessoal".[17]

Tinha razão em estar preocupado. Quatro presidentes depois, a cotação das ações da HP registrava um desempenho cerca de 50% pior do que o do índice Dow Jones Industrial Average durante aquele período. Não foi a única razão para a estagnação da empresa, mas, sem dúvida, foi um fator importante. "Ela perdeu o 'HP Way': os valores, comportamentos, princípios e compromissos que fizeram dela mais do *uma empresa qualquer* [grifo nosso]",[18] declarou a *Harvard Business Review* sobre a companhia em 2011. Esse é o risco particularmente traiçoeiro desse vento que derruba: fazer a empresa perder seu senso de missão e direção e transformá-la em uma empresa qualquer.

Nos próximos capítulos, vamos tratar de tudo isso em mais detalhe. Por ora, queremos simplesmente reiterar um ponto fundamental: as três crises do crescimento – *overload*, *estagnação* e *queda livre* – têm papel fundamental em cerca de 80% das grandes variações no valor (para mais e para menos) de uma empresa típica ao longo de sua vida. Saber lidar com essas crises é *importante*. Vejamos, portanto, como uma série de líderes e suas respectivas equipes enfrentaram cada uma delas e como recorreram à mentalidade do fundador para sair triunfantes.

COMO USAR A FOUNDER'S MENTALITY EM SUA ORGANIZAÇÃO

√ Organize uma dezena de eventos em toda a organização para discutir:

- Em que quadrante do mapa da mentalidade do fundador sua empresa se situa e que ventos estão causando mais estrago na organização.
- Como essas forças estão prejudicando sua capacidade de responder a clientes e competir com rapidez e reduzindo a energia e a liberdade de ação de seu pessoal.
- Que medidas é possível começar a tomar já para restituir a mentalidade do fundador e que métodos adotar para monitorar o progresso nessa empreitada.
- Que capacidades ou recursos estão faltando, ou não são fortes o suficiente, para manter a empresa competitiva no futuro. Que medidas seria possível tomar para adquiri-los ou reforçá-los.

√ Que medidas um líder pode tomar por conta própria, independentemente da resposta institucional?

CAPÍTULO 3

COMBATER O OVERLOAD
COMO USAR A FOUNDER'S MENTALITY PARA VENCER O CAOS DO ALTO CRESCIMENTO

A maioria dos fundadores fracassa. Os números são eloquentes: centenas de milhares todo ano. Quando o tombo ocorre logo cedo, em geral é porque a ideia não ganhou tração suficiente para seguir atraindo fundos e justificar a expansão do negócio. Mas não é desse tipo de empresa que estamos falando aqui. Nosso foco é nas sobreviventes: nas poucas start-ups que pegam embalo considerável. Uma recompensa pelo sucesso é o direito de passar para o nível seguinte do jogo – e é justamente aí que a empresa enfrenta a sobrecarga, ou *overload* (veja a figura 3-1).

O que fazer quando o *overload* se instala? Para achar a resposta, voltemos à história da Norwegian Cruise Line, introduzida no capítulo anterior. É a história de uma companhia que encalhou, apesar da posição forte em um mercado em expansão. E que, para reverter o curso, teve de se reestruturar a partir da linha da frente e redespertar sua missão insurgente.

FIGURA 3-1

Combatendo a crise do overload

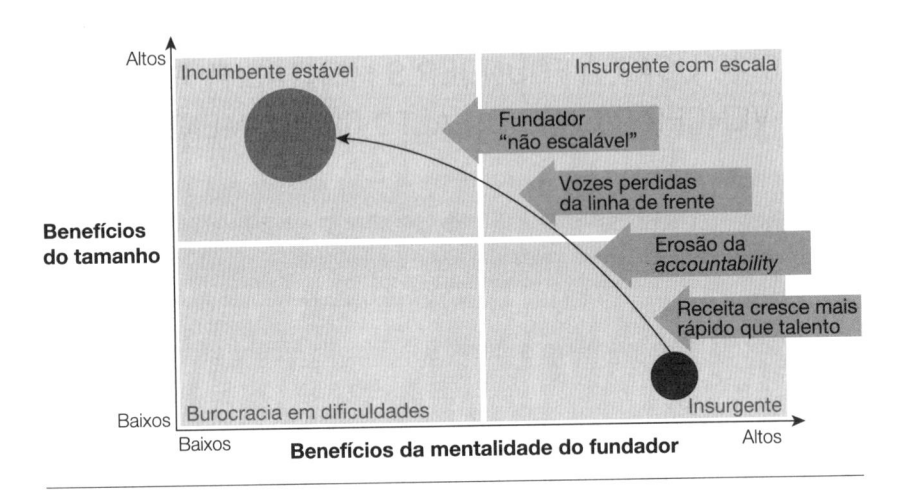

Eixo Y: Benefícios do tamanho (Baixos → Altos)
Eixo X: Benefícios da mentalidade do fundador (Baixos → Altos)

- Quadrante superior esquerdo: Incumbente estável
- Quadrante superior direito: Insurgente com escala
- Quadrante inferior esquerdo: Burocracia em dificuldades
- Quadrante inferior direito: Insurgente

Setas indicando movimento do quadrante "Insurgente" para "Incumbente estável":
- Fundador "não escalável"
- Vozes perdidas da linha de frente
- Erosão da *accountability*
- Receita cresce mais rápido que talento

O PODER DA FOUNDER'S MENTALITY

Quando interrompemos a história da Norwegian, o novo CEO, Kevin Sheehan, tinha acabado de assumir e começava a perceber o verdadeiro abacaxi que tinha em mãos. Vítima de seu próprio crescimento acelerado, a empresa tinha saído da rota pela ação de ventos contrários. A missão de Sheehan era fazer com que retomasse o rumo e voltasse a avançar rumo à insurgência com escala.

Sheehan agiu rápido. Durante o primeiro ano na Norwegian, trocou mais de 80% dos executivos do primeiro escalão, buscou maneiras de redescobrir a missão central da empresa e começou o trabalho de transformação a partir da linha da frente. Isso envolveu uma série de iniciativas fundamentais de aprendizagem, todas fincadas no poder da mentalidade do fundador. Algumas delas:

Abrir canais de comunicação. Uma das grandes disfunções observadas na Norwegian durante o declínio foi que o pessoal a bordo dos navios não acreditava que o pessoal em terra fosse capaz de entender os desafios de seu trabalho, e vice-versa. Para Sheehan, conectar esses dois lados virou prioridade. Para garantir que um aprendesse com o outro, ele e a equipe começaram a incluir o pessoal dos navios em processos e decisões que até então transcorriam exclusivamente na matriz e a convidar oficiais de toda a frota para participar de reuniões externas da liderança da empresa.

Celebrar e premiar heróis da linha de frente. Sheehan e a equipe criaram um programa – o Vacation Hero – que ensinava o pessoal a interagir melhor com clientes e identificava funcionários que tinham se desdobrado para tornar especial a viagem de um passageiro ou resolver algum problema. A ênfase do programa era a troca de conhecimentos empresa afora para garantir um atendimento melhor aos clientes.

Fazer do melhoramento constante um foco. Os líderes da empresa adotaram um sistema *kaizen* (melhoramento contínuo) para buscar, na linha de frente, ideias para melhorar e otimizar operações e processos por toda a organização. Instituíram, ainda, extensos fóruns de discussão e reconhecimento para as melhores ideias. Criaram até um método para envolver o pessoal nos detalhes do projeto de navios, um forte exemplo da nova ênfase no vertical, não no horizontal.

Codificar melhores práticas. A empresa criou um software novo, acessado por meio de iPads, para definir e colher contribuições para o Platinum Standards – melhores práticas tanto no plano de operações como no de *drivers* da fidelidade do passageiro.

Manter equipe focada em princípios fundamentais e necessidades de clientes. Para conseguir esse feito, a equipe de liderança transmitiu aos funcionários o que chamou de Freestyle

Fundamentals: dicas diárias para o pessoal em contato direto com o cliente com o objetivo de estimular a reflexão.

Instituir indicadores de comprometimento de funcionários, satisfação de parceiros e **customer advocacy**. A Norwegian instituiu esses indicadores para cada navio e cada cruzeiro e tornou prioridade o avanço em cada categoria. Checamos em primeira mão os números e podemos atestar que mostram um aumento consistente.

A transformação que Sheehan promoveu na Norwegian é uma verdadeira história de sucesso. No início de 2013, a empresa abriu o capital. Foi um dos IPOs mais bem-sucedidos da temporada e, ao final do ano, a ação tinha subido 87% em relação ao preço da estreia. De 2008 a 2013, a margem Ebitda subiu por 20 trimestres consecutivos, de 5% para 25%. A receita aumentou 50% desde que Sheehan assumiu e indicadores vitais como *receita líquida por passageiro* e *idade média da frota* são hoje os melhores do setor (veja a figura 3-2).

Pedimos a Sheehan que fizesse uma reflexão sobre a guinada. Ao recordar a situação da empresa quando assumiu, disse: "Estávamos sem foco, operando com desmazelo e isso jogava uma pressão enorme sobre o pessoal. Nada parecia replicável de um navio ou cruzeiro para o outro, nem nos relacionamentos em terra. Em cinco anos, mudamos tudo. Hoje, temos a base de um modelo de negócios único, replicável, fundado no Freestyle Cruising, [um modelo] que podemos aplicar reiteradamente".[1]

A crise do *overload* é penosa porque normalmente se instala quando as pessoas estão trabalhando como nunca, por um objetivo que julgam muito importante e com pouca capacidade para lidar com mais coisa. Os primeiros sinais de sobrecarga são gargalos, detalhes que acabam sendo esquecidos, sistemas que não ganham escala, talentos à beira da exaustão, tensão crescente entre colegas e, talvez, até um início de mal-estar organizacional e perda de confiança; na esteira, a crise se manifesta no plano externo, com um desempenho insatisfatório no mercado, clientes frustrados e dificuldades financeiras. Uma imagem útil, aqui, é a de um equilibrista de pratos. No *overload*, esse malabarista tem de manter girando no alto das varetas um número cada vez maior de pratos. O que no começo era um processo gratificante de crescimento (mais pratos) rapidamente vira um problema: um por um, os pratos vão caindo, pois o equilibrista não consegue manter todos girando. Nesse ponto, a missão do malabarista muda: não é mais servir e encantar a plateia (clientes); é, simplesmente, lidar com a crise de crescimento e evitar uma tragédia.

Vejamos agora uma série de exemplos gerais de uso da mentalidade do fundador por empresas para evitar ou mitigar a crise do *overload*.

FIGURE 3-2

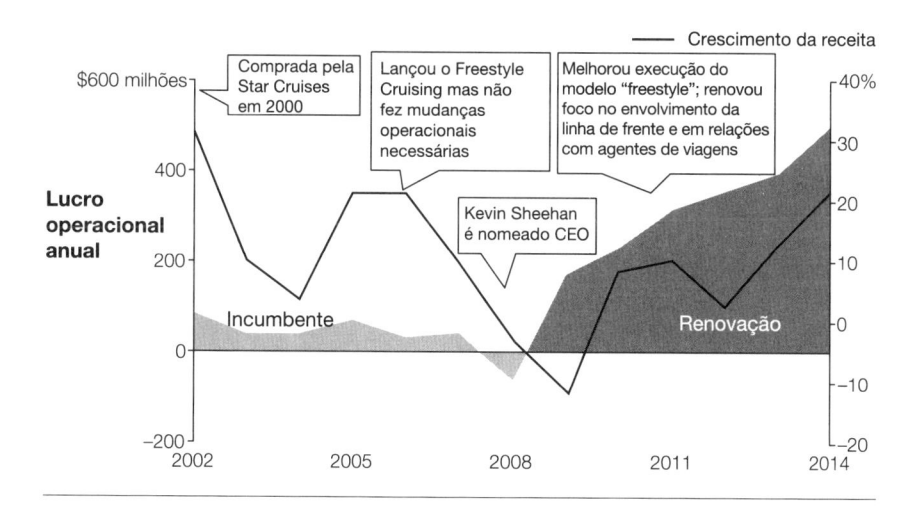

Renovação na Norwegian Cruise Line

— Crescimento da receita

$600 milhões — Comprada pela Star Cruises em 2000

Lançou o Freestyle Cruising mas não fez mudanças operacionais necessárias

Kevin Sheehan é nomeado CEO

Melhorou execução do modelo "freestyle"; renovou foco no envolvimento da linha de frente e em relações com agentes de viagens

Lucro operacional anual

Incumbente

Renovação

2002 2005 2008 2011 2014

REFORÇAR A INSURGÊNCIA

Para uma empresa em crescimento, dificilmente há algo mais importante do que sua razão singular de ser, sua insurgência e a expansão que essa missão permite. Mas, apesar dessa importância, na correria dos afazeres do dia a dia e de agendas superlotadas é facílimo perder de vista aquilo que a empresa representa e o que faz dela especial. Vejamos uma série de medidas tomadas por líderes de sucesso para manter viva a insurgência à medida que a empresa ia ganhando escala.

Fazer da campanha um esforço coletivo

Partamos com o caso de Harsh Mariwala, fundador e CEO da fabricante de bens de consumo Marico, da Índia. Mariwala iniciou a trajetória nessa arena no começo na década de 1970 com uma só linha de produtos: óleos de cozinha. Na época, seu faturamento anual não passava de US$ 8 mil – ou US$ 15 mil em valores atualizados. Fosse qual fosse o critério, a sorte não estava a seu favor. Mas Mariwala achava que havia espaço para crescer.

Peguemos o exemplo do óleo de coco comestível, produto que à época era vendido em latas de 15 litros. Depois de muita deliberação, o empresário lançou o óleo em frascos menores, mais convenientes – que, embora de plástico, eram feitos para resistir ao ataque de pragas como ratos.

Com isso, Mariwala conseguiu duas coisas. Primeiro, que um produto que era um verdadeiro trambolho chegasse às massas num formato fácil de armazenar. Segundo, derrubar o preço de algo que, até ali, era um artigo de luxo, fazendo com que coubesse até no bolso do consumidor na base da pirâmide.

Feita essa inovação, Mariwala correu o interior da Índia para montar a rede de distribuição, que chegou a espetaculares três milhões de pontos de venda. O resultado estava ali para quem quisesse ver: até no vilarejo mais ermo do país era possível encontrar produtos da Marico. Graças à inovação e à rede de distribuição, a marca logo virou uma fonte de vantagem competitiva e contribuiu para o sucesso da empresa.

Hoje, a empresa é a maior fabricante de óleo capilar do mundo. A Marico tem uma participação considerável de mercado e detém o primeiro lugar em 90% dos segmentos em que atua. Uma robusta franquia no exterior gera 25% da receita da empresa. Seu valor de mercado hoje é de mais de US$ 4 bilhões e, nos últimos 15 anos, a empresa manteve um crescimento de 15% na receita e 20% no lucro.

Isso explica por que a Marico é elogiada em tudo quanto é parte por seu trabalho na cadeia de valor e por que já recebeu mais de uma centena de prêmios. E também explica por que a Marico, embora trabalhe com um produto relativamente "low-tech", é considerada uma das empresas mais inovadoras da Índia.

Parte desse sucesso, contou Mariwala, foi resultado de medidas que o empresário tomou para enraizar a estratégia e os princípios da Marico quando a empresa tinha 500 funcionários e 40 gerentes em seus quadros. Eram gerentes que chegavam de distintas organizações – cada um com sua própria opinião sobre como o negócio deveria ser tocado. A situação "começou a ficar caótica", disse.

> Percebi que, para administrar corretamente, tinha de definir nossa razão de ser. Comecei, então, a codificá-la no modo como uma pessoa devia tratar a outra na empresa e qual devia ser nossa cultura. Quando terminei, tinha um documento de cerca de 40 páginas que tratava de pessoas, produtos, estratégia, clientes, nossa visão dos mercados e de como deveríamos encarar o lucro.
>
> Mostrei à equipe e a resposta foi positiva. Ninguém tinha visto nada parecido nas empresas em que tinham trabalhado antes. Mas logo percebi que aquela era a minha visão. Teria de ser a deles também. Iniciamos, portanto, um processo com os escalões mais altos da empresa para discuti-la,

modificá-la e operacionalizá-la. Colhemos subsídios e refinamos nossas ideias durante 12 dias inteiros de discussão ao longo de um ano. Quando terminamos, tínhamos em mãos um documento com três seções: pessoas, produtos e lucros.

Passamos, então, para o escalão seguinte de funcionários e fizemos um evento fora da empresa para mais discussão e ajustes. Esse nível de discussão foi importante para criar um senso de posse, eliminar o ceticismo e promover a consciência de que é assim que pretendemos tocar a empresa – e de que aquilo não eram meras palavras no papel.

Fizemos o mesmo em toda a empresa. [O documento] definiu o que é certo e aceitável e o que não é. Também incluímos nossas prioridades e metas. Em seguida, nos empenhamos em criar políticas e procedimentos para tornar tudo palpável, fiscalizar seu cumprimento e integrar tudo. No final, esse documento empoderou as pessoas para agir por conta própria, mais perto da linha de frente do negócio, desde que seus atos fossem condizentes com nossos princípios e valores.

Mariwala e a equipe se certificaram de que todo elemento do documento no qual haviam trabalhado por mais de um ano conduzisse a ações que mudassem procedimentos diários de gestão da empresa. Ele sabia que a Marico precisava começar a transferir a tomada de decisões organização abaixo, para instâncias mais próximas do pessoal da linha de frente. Mas como fazê-lo sem definir os princípios e as crenças que norteiam essas decisões? Isso explica por que esse documento e o processo que se seguiu ajudaram.

Peguemos um valor que a Marico chama de "abertura". Para enfatizá-lo, Mariwala instituiu um espaço de trabalho no qual todo mundo vê todo mundo e não é preciso passar por uma secretária para falar com o CEO.

Para reforçar ainda mais esse valor, Mariwala passou a fazer reuniões abertas. Foi visitar todo escritório e toda fábrica e ficou horas à disposição do pessoal para responder às perguntas. A empresa criou programas de treinamento focados em valores e passou a premiar e celebrar o pessoal por reforçá-los.

Mariwala também batalhou para minimizar a hierarquia. Funcionários em todos os níveis da Marico são chamados de membros e se tratam pelo nome próprio – em muita empresa na Índia, supervisores e executivos graduados normalmente são tratados de "Senhor" ou "Senhora". Mariwala quis deixar claro que a Marico, embora seja um negócio de família, é regida por princípios meritocráticos. Influência, ali, não conta.

Olhando hoje, Mariwala diz que codificar, socializar e incorporar um propósito ao *core* da empresa – e exigir que todos façam o mesmo – é a grande razão do sucesso da Marico. Suas conquistas são impressionantes. Hoje, a empresa tem cerca de 2.400 funcionários e, na última década, multiplicou por 12 a cotação de suas ações. Embora definir valores possa ser fácil, para que uma cultura forte desponte esses valores devem ser reiterados de forma contínua e ter o forte endosso da alta liderança.

Líderes de empresas que estão crescendo depressa devem investir tempo suficiente para garantir que todos entendam o propósito da empresa e se sintam conectados a ele, o que inclui envolver o pessoal diretamente na definição desse propósito. No quinto capítulo, iremos considerar a versão extrema dessa estratégia: a total "refundação" da empresa. O exemplo usado será o da DaVita, que estava à beira da falência em 1999 e, em 2015, já era a empresa de saúde de melhor desempenho da década.

Subverter sua própria insurgência

No primeiro capítulo, usamos a história da rede chinesa de supermercados Yonghui para ilustrar a importância de contar com uma missão clara, insurgente. Mas a Yonghui tem mais lições a dar sobre como explorar o poder da mentalidade do fundador. A empresa conseguiu, por exemplo, subverter sua própria insurgência.

Vamos explicar melhor. Os irmãos Zhang, fundadores da empresa, tinham provocado uma ruptura no varejo chinês com suas primeiras lojas, que eles mesmos tocavam. Mas, à medida que o negócio foi crescendo, a dupla percebeu que era preciso contratar gestores profissionais e integrá-los muito bem para que os estabelecimentos passassem para o nível seguinte e virassem o grande motor do crescimento da empresa – e um motor estável. Esses primeiros estabelecimentos foram chamados de "lojas vermelhas". Paralelamente, os dois viram que a profissionalização e a adoção de sistemas mais complexos deixavam a empresa vulnerável à ruptura por insurgentes menores, mais ágeis. Resolveram, então, criar uma segunda categoria de loja na qual o pessoal pudesse inovar sem o ônus de administrar um negócio como as lojas vermelhas, cada vez maiores e mais complexas. Os novos estabelecimentos foram chamados de "lojas verdes" e tinham uma razão de ser bem simples. Um dos irmãos, Xuanning, nos disse: "Ou fazemos a ruptura nós mesmos, ou deixamos que outros a façam".

Xuanning Zhang explicou a abordagem em detalhe:

> Nossa missão insurgente é simples: produtos frescos, seguros e de bom preço para a mãe chinesa. Batalhamos por isso desde que abrimos a primeira loja. Para honrar essa missão, precisamos focar a cadeia de suprimento. Precisamos comprar alimentos de alta qualidade de fornecedores de confiança e levar esses produtos (...) a nossos clientes todos os dias – algo nem sempre fácil no interior da China. À medida que crescemos, ampliando as lojas e o sortimento de produtos, a importância da cadeia de suprimento para nossa vantagem competitiva também cresce. Seria de imaginar que isso fosse óbvio para todos – e, embora queiramos melhorar em tudo, o que realmente importa é a cadeia de suprimento. É aí que devemos focar.

Ainda somos uma empresa jovem, vivendo a transição de [ser dirigida por] dois jovens irmãos mal capazes de administrar o caos de crescimento para uma organização mais profissional. Estamos contratando especialistas de fora, de finanças, de RH, de preços, de gerenciamento por categorias. Precisamos disso. Mas o que descobrimos, a duras penas, é que cada profissional chega com a própria agenda, baseada na experiência anterior, o que gera um monte de vozes de especialistas competindo com nossa agenda, [focada] na cadeia de suprimento. Como manter o foco na principal capacidade de uma empresa que está adquirindo várias outras capacidades por meio de várias iniciativas? Podemos sair pela empresa gritando "O que importa é a cadeia de suprimento! O que importa é cadeia de suprimento!". Mas nosso pessoal obviamente já ouviu isso. É fácil, portanto, que seja seduzido pela novidade seguinte.

Uma das funções do líder é manter a clareza. É manter a organização realmente focada em uma ou duas coisas que mais importam. Quando era menino, tinha uma jogadora de vôlei formidável que ajudou [a China] a levar a medalha de ouro nas Olimpíadas de 1984. Seu nome era Lang Ping e a apelidaram de "martelo de ferro". Ela era conhecida pela cortada: se fizessem uma boa levantada, era quase certeza que ela marcava o ponto. Pessoalmente, sinto que um papel importante que meu irmão e eu exercemos é lembrar o pessoal que, apesar da importância de todos, nossa cadeia de suprimento é como a Lang Ping. Se dermos uma cortada, ganhamos. Parece simples, mas como líder é a tarefa mais difícil que tenho.

Isso leva à segunda parte da história. Uma das principais razões para os irmãos terem passado a responsabilidade pela gestão das lojas vermelhas a profissionais foi o fato de que queriam se dedicar a seu verdadeiro forte: criar novos negócios e inovar. A dupla queria manter o contato com a mentalidade do fundador à medida que a empresa crescia.

Xuanning descreveu o permanente desafio: "Está ficando mais difícil crescer à medida que nosso setor fica mais saturado e mais competitivo", disse. "Meu irmão e eu percebemos que devíamos seguir sendo os inovadores. Fizemos isso uma vez com o 'formato das lojas vermelhas' – como chamamos nosso modelo original de varejo. Mas precisamos fazer mais. Daí o 'formato das lojas verdes', que são nossas incubadoras de inovação. Se quiserem adotar uma inovação feita pelas 'lojas verdes', as 'lojas vermelhas' têm todo o direito. Só não podem inibir a inovação das lojas verdes, ainda que essa inovação venha a abalar as vendas das lojas vermelhas. É sempre doloroso, mas é algo bom e mantém nossa insurgência viva."

CULTIVAR A OBSESSÃO COM A LINHA DE FRENTE

Uma organização está um passo adiantada na prevenção do *overload* quando o pessoal na linha de frente ama os detalhes do negócio e se sente empoderado para resolver problemas táticos assim que surgem. Uma organização que trabalha dessa forma tem uma capacidade maior de crescer e mantém o processo decisório ágil e indolor. Com funcionários mais leais e produtivos, o resultado é uma organização que se corrige sozinha – e aprende e muda de forma quase automática. Para conseguir essa proeza, empresas de sucesso fazem várias coisas. Eis algumas das medidas por nós observadas:

Priorizar a linha de frente

Nos workshops DM100 que realizamos ao redor do mundo, perguntamos aos CEOs presentes quais os maiores entraves ao crescimento em sua respectiva empresa. O fator citado com mais frequência é a incapacidade de contratar, reter e promover o crescimento de funcionários na linha de frente do negócio e nas áreas operacionais mais importantes. Conversamos com líderes de uma ampla gama de empresas que conseguiram superar esse problema. Vejamos alguns exemplos.

O primeiro deles é o da Oberoi Hotels, cuja história começamos a contar lá no primeiro capítulo. Durante uma visita a Vikram Oberoi, CEO do grupo, quisemos saber como era a gestão de talentos na empresa. "Nossa seleção nunca é para uma vaga específica", contou. O que a empresa busca é um punhado de "traços fundamentais, incluindo que toda pessoa contratada tenha potencial para galgar pelo menos dois degraus na organização. Começamos a pensar na trajetória da pessoa a longo prazo já no início, o que gera um senso maior de comprometimento mútuo". Para tanto, a Oberoi não respeita limites geográficos ao contratar. Quando o Oberoi Hotel em Jaipur estava montando a equipe inicial, os gerentes percorreram 18 cidades durante um período de 42 dias, examinando o currículo de quase 9 mil candidatos para preencher por volta de 200 vagas. Durante as entrevistas, esses gerentes não buscavam competências técnicas, mas certos valores pessoais e um passado que indicasse, como coloca Vikram Oberoi, que a pessoa tinha "motivação, garra e verdadeira vontade de ter sucesso".

A partir do momento da contratação, tudo na Oberoi é feito para despertar no funcionário o senso de compromisso a longo prazo. Nos primeiros três meses na empresa, todo trabalhador é convidado para uma refeição especial com a gerência no restaurante do hotel; o convite se estende à família do empregado e todos, segundo Vikram Oberoi, são tratados "como reis". Com seis meses na empresa, o funcionário passa pela "confirmação": um rito de passagem que inclui enviar, à família do funcionário, fotos dele ou dela com a equipe para comemorar seu progresso.

A confiança é um valor crucial na Oberoi. Por incrível que pareça, até funcionários dos escalões mais baixos têm acesso a informações como resultados financeiros e avaliação do hotel por clientes.

Quase todas as reuniões da gerência são abertas a qualquer trabalhador que queira presenciá-las. Tudo ali – o modo como são feitas as avaliações, cartões de parabenização que qualquer empregado pode entregar, prêmios para gente que merece reconhecimento especial, dar o exemplo de humildade na conduta – remete às práticas do fundador.

Equilibrar heróis e sistemas

Empresas insurgentes vivem de lances heroicos, um fato evidente nas espetaculares histórias de ascensão social de muitos fundadores. A certa altura, no entanto, precisam crescer. Precisam adquirir conhecimentos, capacidades e sistemas novos para impor ordem ao caos do crescimento acelerado, do ritmo de trabalho insustentável, da falta de controle. Precisam se profissionalizar. Volta e meia, no entanto, a campanha de profissionalização ganha vida própria ou descamba para um exercício de imitação das próprias incumbentes que a insurgente está atacando. Eis um punhado de ideias para reduzir esse risco.

Garantir que a agenda da profissionalização obedeça à agenda estratégica. Parece algo óbvio. É claro que a agenda estratégica deve pautar a agenda da profissionalização, certo? O problema é que, à medida que se profissionaliza, a empresa insurgente ganha novos departamentos – e cada novo departamento vem com um novo líder e uma nova equipe decididos a melhorar essa área. Isso produz uma crescente coleção de pautas setoriais que podem rapidamente sobrecarregar uma empresa e fazê-la perder o foco. Muitas das reuniões na iniciativa DM100 já abordaram essa questão. Numa delas, um fundador (que quis manter o anonimato) contou uma história particularmente ilustrativa:

Meu primeiro passo foi reconhecer que eu tinha um grande problema. Tinha contratado uma meia dúzia de gerentes para ajudar a profissionalizar a empresa, mas depois de um tempo eu não conseguia nem entender o que estava sendo discutido nas reuniões da gerência. O chefe de RH levantava, falava sobre a excelência do RH e expunha um programa de dez passos que nos levaria ao pináculo dessa área. Aí, vinha o chefe da cadeia de suprimento e fazia o mesmo, com um programa que chamava de "Em busca da excelência funcional". As reuniões da gerência viraram longos informes sobre esses programas, todos com dez passos. Já não falávamos sobre o cliente ou sobre o que vínhamos tentando fazer para mudar o setor. Foi quando pedi a todos que parassem. Pedi a cada um dos chefes de departamento que voltassem com duas ou três medidas que iriam tomar para apoiar a missão insurgente – e só ela. Dali a duas semanas, a equipe voltou a se reunir para analisar esse trabalho. Agora, conseguia ver a conexão entre nossa estratégia, o programa de aquisição de capacidades e a agenda de profissionalização. E o mais incrível foi que todos os chefes de departamento me agradeceram. Finalmente tinham clareza e foco no que estavam fazendo e se sentiam muito mais conectados com o negócio.

Esse último ponto é fundamental. Quando chega numa empresa insurgente, um gestor profissional em geral quer fazer a coisa certa. Mas recebe pouca orientação. A equipe fundadora, por não saber ao certo como profissionalizar as coisas, reluta em orientar esses profissionais. A história que acabamos de contar mostra, contudo, o que a equipe fundadora pode fazer: ajudar o profissional que acaba de chegar a atrelar sua pauta à missão insurgente. Isso garante o tão necessário foco e uma integração muito maior dos novos gestores à empresa.

Isso nos leva a outra tarefa importante na gestão de heróis e sistemas: saber contornar sistemas. As ideias de redução de riscos que se seguem mostram a equipes de liderança como manter a agilidade e o foco à medida que processos se tornam mais complexos e impessoais.[2]

Reunião das segundas. Uma maneira de garantir o equilíbrio de heróis e sistemas durante a busca de um crescimento acelerado é instituir uma "reunião da segunda-feira". Não estamos sugerindo que a empresa aumente o número de longas reuniões internas. Longe disso. O que estamos descrevendo é um tipo particular de reunião que pode ter o efeito de reduzir o trabalho e acelerar o metabolismo da empresa. A ideia, bem simples, é que os líderes se reúnam uma vez por semana com a seguinte promessa: eliminar qualquer obstáculo que esteja impedindo atores cruciais de fazer seu trabalho – independentemente de quanto tempo precisem estar reunidos para isso.

Uma reunião dessas – que não precisa ser necessariamente às segundas – traz quatro benefícios imediatos. Primeiro, mostra à organização toda que o prazo para a resolução de problemas na empresa agora é de quatro dias. Líderes não podem mais culpar a organização (ou novos sistemas e processos) pela demora. Segundo, obriga a equipe de liderança a abordar de forma integrada qualquer problema que esteja dificultando o trabalho de atores cruciais. Não há escapatória. Terceiro, essa reunião mantém a alta liderança voltada à ação e reduz o intervalo entre decisão e ação. Já que não podem sair da reunião até que um problema tenha sido resolvido, membros da equipe aprendem a desmembrar grandes problemas em questões pequenas o bastante para serem solucionáveis – justamente o viés para a ação que move a mentalidade do fundador.

Lesley Wexner fez da reunião das segundas uma das rotinas de gestão mais importantes da L Brands. Segundo ele, a prática ajuda a manter curto o tempo gasto na resolução de problemas e remove obstáculos à ação. A diferença na L Brands – o que faz da ideia uma técnica de gestão ainda mais formidável – é o "follow-up" das terças, quando se faz uma revisita do progresso das decisões e de novos obstáculos que porventura tenham surgido. Essa estratégia é utilizada por um dos líderes mais bem-sucedidos de Wexner, Nick Coe, que comanda a Bath & Body Works e uma nova start-up, a White Barn. Coe atribui muito de seu sucesso a essas reuniões. "As reuniões de segunda e terça incluem a empresa toda, 52 semanas por ano", explicou. "E você nunca falta. É a coisa mais disciplinada que fazemos. Já chegou àquele ponto do 'não podemos viver sem ela'. E é feita para cada operação, por mais nova que seja."

Outro mestre da reunião das segundas é Galip Yorgancioğlu, presidente da Mey Içki. A história da Mey, a maior destilaria da Turquia, é famosa. Por cerca de 60 anos, o governo turco deteve o monopólio da produção e distribuição do *raki*, o destilado à base de óleo de anis que é a bebida nacional do país. O turco pode passar horas no ritual do *raki*, bebendo copos e copos do destilado enquanto saboreia a combinação de aperitivos quentes e frios que eles chamam de *meze*. Em 2004, quando o governo resolveu privatizar a indústria, um grupo de empresários da construção civil comprou o que se tornaria a Mey – e partiu para a ação. Embora não entendesse muito de bens de consumo, essa turma sabia o bastante para recrutar Yorgancioğlu como presidente. O executivo foi o primeiro contratado e segue no posto até hoje. A razão é boa: os primeiros donos pagaram cerca de US$ 292 milhões pela empresa, que venderam dois anos depois à TPG Capital por cerca de US$ 810 milhões. A TPG, por sua vez, vendeu a Mey para a Diageo por cerca de US$ 2,1 bilhões. Em dez anos, o valor da empresa foi multiplicado por dez – uma história de geração de valor nada desprezível.

Tivemos o privilégio de estar com Yorgancioğlu e seus diretores de vendas e marketing em Istambul. O executivo é um forte defensor da reunião das segundas, ocasião na qual seus líderes podem se reunir e resolver problemas com rapidez. Em suas palavras:

> Uma das coisas mais difíceis, culturalmente falando, é fazer com que todos entendam que não faz mal haver conflito. Se deixamos a possibilidade de haver conflito em nossas organizações, o pior que podemos fazer é fugir dos conflitos que inevitavelmente surgirão. Quero que a equipe da cadeia de suprimento garanta a nossos consumidores os benefícios da "uniformidade". Quero que batalhe para racionalizar, para conseguir benefícios de escala. E quero que o pessoal de marketing garanta a nossos consumidores os benefícios da diferença. Quero que batalhe por novas variantes, por novos produtos. E minha função é garantir que enfrentemos os conflitos que inevitavelmente surgem quando cada pessoa aqui dentro está fazendo seu trabalho.

Uma saída que encontrei para cumprir esse papel é o que chamo de "double-hatting". Quando começamos a discutir um problema, quero que cada um represente a área da organização na qual atua. Se está a cargo da cadeia de suprimento, portanto, vai defender sua área. Isso garante que o problema venha à tona e que todos entendam que os conflitos que estamos expondo são conflitos que queremos ter. Isso feito, peço que troquem de lado. Somos todos donos do negócio; agora, todas as questões estão sobre a mesa. Qual é a resposta certa? Nessa hora, quero que as pessoas busquem a resposta em nome de toda a empresa.

Aceitar o conflito mantém a Mey ágil. "Rapidez e agilidade pedem uma tomada de decisões rápida", disse Yorgancioğlu. "Para tomar decisões com rapidez precisamos colocar todas as questões na mesa e, então, tomar a decisão certa, tanto para o consumidor como para a empresa. A reunião das segundas nos permite fazer isso. Já que a empresa inteira sabe que toda segunda vamos lidar com os problemas surgidos, [as pessoas] expõem qualquer questão que esteja impedindo sua ação. É um contrato social que, se bem administrado, garante que sejamos mais velozes do que as concorrentes."

Definir critérios inegociáveis. A maior história de crescimento insurgente da década de 1990 foi, muito provavelmente, a ascensão da Dell e de seu modelo direto de venda de computadores. Durante a fase de alto crescimento, Michael Dell e sua equipe definiram quatro métricas físicas de saúde a aplicar a cada segmento do negócio (produto, geografia, cliente) e à empresa como um todo. A ideia é que cada métrica dessas fosse altamente mensurável, relevante em todos os níveis da empresa e um bom indicador da saúde do modelo de negócios central. Uma métrica, por exemplo, era o percentual de produtos despachados no prazo – um motor essencial do lucro e um critério absolutamente inegociável.

Criar um conselho de estrelas do time. Toda empresa tem como identificar funcionários – não necessariamente chefes de departamento ou ocupantes de grandes cargos – que exercem um impacto desproporcional no desempenho da empresa e em sua relação com clientes. Chamamos esses funcionários de *estrelas do time*. Essa lista pode incluir o gerente da conta de um cliente que responde por 25% das vendas e o principal desenvolvedor de produtos. Montar um conselho com essas *estrelas do time* permite que a direção da empresa passe por cima de camadas e mais camadas de burocracia e trave um diálogo direto com indivíduos influentes e, talvez, de altíssimo potencial. Conhecemos um CEO cuja empresa foi absorvendo várias outras, todas menores e ainda tocadas pelos respectivos fundadores; esse presidente e se reúne periodicamente só com esses fundadores para ouvir sua opinião sobre a empresa, que é sempre instigante é peculiar. Outro presidente faz encontros periódicos com gente de "alto potencial" – tudo para manter o contato com alguns dos indivíduos mais influentes da casa, nem todos detentores de grandes cargos.

Poderíamos enumerar muitas outras medidas que ajudam uma empresa insurgente a equilibrar heróis e sistemas. Mas essas três táticas – a reunião das segundas, definir critérios inegociáveis e dar especial atenção às estrelas do time – estão entre as de maior impacto. Vimos sua implementação em muitas situações distintas e somos testemunhas diretas de sua eficácia.

EXIGIR QUE TODOS PENSEM COMO DONO

A expressão cabal da cabeça de dono é o foco no longo prazo, um forte viés para a agilidade e a ação e a disposição a assumir a responsabilidade pessoal por decisões e atos ligados à empresa. O que faremos agora é espiar o interior de uma série de companhias que conseguiram manter a cabeça de dono e descobrir o que fizeram para preservar essa fonte duradoura de vantagem.

Criar uma organização ágil e com garra

O que significa realmente ter cabeça de dono? Qual a sensação? O que uma empresa já crescida pode fazer para incutir essa mentalidade em seus trabalhadores e em sua cultura? A busca por respostas nos levou à AB InBev, a maior fabricante de cerveja do mundo – e cuja história começamos a contar lá no primeiro capítulo ("Criamos donos de restaurante, não garçons").

A AB InBev tomou uma série de medidas bem visíveis para infundir essa cabeça de dono. Para entrar ou seguir no orçamento, por exemplo, todo item precisa ser abertamente defendido a cada ano. A empresa estabelece metas agressivas para os principais motores do lucro em toda área do negócio. Toda meta da cúpula é decomposta e aplicada ao escalão logo abaixo, para que todos saibam claramente qual é sua relação com o todo; ninguém escapa, não há onde se esconder e todo mundo tem lacunas difíceis a preencher. A AB InBev desafia gerentes em postos cruciais a imaginar ameaças que poderiam subverter parte de seu modelo de negócios, como mudanças em embalagens, por exemplo. A cervejaria tem uma famosa lista de dez princípios de gestão, com exemplos de sua aplicação na empresa.

Cada programa desses cumpre uma função importante na manutenção da intensidade competitiva, da formidável ética de trabalho e da mentalidade do fundador na AB InBev. Mas, para entender de verdade como a AB InBev manteve essa garra mesmo tendo adquirido uma escala gigantesca, é preciso cavar mais fundo. E, ao fazê-lo, descobrimos que o segredo do sucesso da empresa – e da insurgência com escala de modo geral – está em reproduzir, por toda a empresa, os valores e crenças fundamentais da mentalidade do fundador. A melhor analogia que podemos imaginar é a reprodução de uma planta a partir da semente original. É isso que a imagem na capa deste livro simboliza.

Falamos com Jo Van Biesbroeck, um dos funcionários com maior tempo de casa na AB InBev, sobre esse processo. Biesbroeck já atuou em grandes subsidiárias da empresa na Europa, em operações de exportação em países menores, no departamento financeiro, na equipe de aquisições e, mais recentemente, na equipe de estratégia. Biesbroeck deu uma série de exemplos sobre como funciona o processo na AB InBev:

Na AB InBev, a contratação é muito seletiva. Tanto quanto possível, promovemos de dentro. E é de propósito. No meu último processo de seleção na Europa, por exemplo, foram nove mil candidatos para 25 vagas. Damos uma atenção especial a funcionários novos durante os primeiros cinco a sete anos. Desde o início, são testadas para ver se rendem bem numa meritocracia. Todo mundo fala sobre isso na empresa. É um sistema de metas fundado em objetivos grandes, ambiciosos. Quem consegue passar por nosso processo recebe, ainda jovem, oportunidades que não receberia em outra empresa sem antes ter se provado umas cinco vezes. Botamos pressão sobre aqueles que contratamos para assegurar que funcionem bem com metas grandes, arriscadas. Aqui na empresa, é capitalismo puro. Se bater as metas ao longo do tempo, a pessoa se dá muito bem financeiramente em nosso sistema; as origens remontam a condutas herdadas dos fundadores.

Para incutir a mentalidade do fundador, como vocês a chamam, é necessário incluir toda área importante de uma empresa. Nosso pessoal é tratado como se fosse dono de sua parte do negócio. Não toleramos delegação ou desculpas. Durante anos, trabalhei com nosso CEO. É o chefe mais duro e ao mesmo tempo o mais justo que já tive. Às vezes, era extremamente difícil – mas eu recebia feedback instantâneo, totalmente franco e totalmente transparente. É assim que queremos que todos se comportem. É bem provável que nossos altos executivos dediquem até um terço do tempo à seleção, ao coaching e ao desenvolvimento de pessoas. Nossa crença nesse investimento é extrema. Fazemos questão que todos se sintam como empreendedores e empurramos tudo rumo à linha de frente. Somos uma empresa de 120 mil pessoas, mas na sede não há mais do que umas 200. Já fizemos comparações com outras grandes fabricantes de bens de consumo que têm milhares e milhares [de funcionários] na matriz. Nós, não.

> Aqui não se delega e não se toleram desculpas. Ou você produz resultados, ou não produz; você é pago por [criar] soluções, não por se esforçar. Você é pago para apresentar propostas, não para dar um tempo. Ninguém escreve 20 páginas para explicar que aconteceu. A pessoa dá um relato em cinco minutos e, em seguida, diz o que vai fazer. É só olhar para a melhor padaria do bairro. [O dono] não tem ninguém a quem culpar, sabe os mínimos detalhes do preço do produto, sabe o nome e as preferências de cada cliente e se sente pessoalmente responsável por todo detalhe.

Carlos Brito, o CEO da AB InBev, colocou a coisa de forma bem sucinta para nós: "Nós construímos a empresa com base na insatisfação constante com nossos resultados e conquistas", disse. "Nunca estamos satisfeitos onde estamos. Sempre achamos que podemos fazer mais."

Ao estudar insurgentes com escala, topamos vez após vez com esse raciocínio – e, no processo, chegamos a cinco técnicas importantes para incutir a cabeça de dono numa organização. Todo líder de empresa deveria se perguntar com que frequência e quão bem está empregando cada uma delas.

- Sonhar grande em todos os níveis.
- Seguir incansavelmente os princípios da meritocracia – de forma aberta, sem se desculpar. Dar feedback de forma franca e rápida.
- Tanto quanto possível, promover gente da casa. Garantir que altos líderes invistam pesado nas pessoas a sua volta.
- Estipular metas grandes, mas simples, para as unidades de geração de valor na empresa, e dar poder a líderes para que ajam como empreendedores.
- Ter uma mentalidade de "base zero" para tudo, de orçamentos anuais ao futuro do próprio modelo de negócios.

Usar orçamento base zero para destravar recursos emperrados

Presidentes de empresas de grande porte volta e meia reclamam de recursos emperrados. O problema não é a falta de recursos, que essas empresas têm de sobra. O problema é que o grosso desses recursos está confinado em mercados, produtos ou silos funcionais, e remanejá-los de um instante para o outro parece impossível – ainda que, para fazer frente aos desafios dinâmicos do crescimento, é justamente isso o que a empresa deva fazer. Por mais que tentem, esses CEOs se sentem incapazes de instituir a cultura ou os incentivos certos para que o pessoal libere recursos para uso em outra área. Não é de surpreender: profissionais em burocracias encaram "seus" talentos e fundos com uma mentalidade territorial e bolam estratégias sofisticadíssimas para defendê-los. É a cabeça de dono – só que ao contrário.

Empresas vivendo ou almejando o hipercrescimento não podem deixar que isso aconteça. Devem, portanto, agir constantemente para simplificar as coisas e reforçar a transparência. E, para tanto, uma das melhores maneiras é estar sempre revendo, do zero, o orçamento e a alocação de recursos.

Como assim? É preciso examinar regularmente cada processo e cada atividade crucial com um olhar renovado e perguntar o seguinte: se pudéssemos começar de novo, seguiríamos investindo aqui? O destino que estamos dando aos recursos ainda é o melhor ou é fruto da inércia e de orçamentos passados? Nossos principais clientes estão dispostos a pagar por esse custo ou por aquele processo?

É o tipo de pergunta que a AB InBev faz automaticamente, de forma quase inconsciente, por toda a empresa. Todo ano, na hora de preparar o orçamento, a gerência tem de defender e justificar cada componente dos gastos. A empresa evita regalias como vagas nobres no estacionamento, viagem em primeira classe e restaurantes caros. Grandes encontros da gerência não ocorrem em *resorts* de luxo, mas em instalações da cervejaria mundo afora. Para pegar uma caneta nova é preciso entregar a velha, já vazia. Essa atenção a detalhes e a gastos, que vai de alto a baixo, permitiu à AB InBev atingir um grau de lucro por hectolitro de cerveja que, segundo nossos cálculos, é consideravelmente maior do que o de rivais globais. O resultado é que a AB InBev virou a maior e mais rentável fabricante de cerveja do mundo. É, sem dúvida, uma das grandes insurgentes de nossos tempos. E um detalhe: apesar da cultura espartana, a empresa tem gente batendo à sua porta para entrar. Em 2014, foram cerca de 100 mil candidatos para 147 vagas de *trainee* – cifras que superam as da maioria das companhias de tecnologia do Vale do Silício. Tamanho é o poder do orçamento base zero e da cabeça de dono.

* * *

Essas três estratégias – reforçar a insurgência, incutir a obsessão com a linha de frente e exigir uma cabeça de dono – representam os traços centrais da mentalidade do fundador. Neste capítulo, vimos como cada uma pode ajudar uma insurgente a vencer o *overload*, ou a sobrecarga, durante a jornada rumo ao norte. No próximo capítulo, veremos como podem ajudar empresas mais maduras a sobreviver à desaceleração, ou *estagnação*.

COMO USAR A FOUNDER'S MENTALITY EM SUA ORGANIZAÇÃO

✓ Crie um fórum de estrelas do time para ouvir a opinião da linha de frente sobre como restituir a mentalidade do fundador. Passe ao grupo três tarefas imediatas:

- Analisar a pauta de reuniões cruciais da gerência nos últimos seis meses para avaliar se as reuniões focaram o suficiente em clientes e no pessoal da linha de frente.
- Identificar ações imediatas para acelerar a capacidade desse grupo de servir clientes.
- Decidir qual a melhor forma de conceber e testar a geração seguinte de modelos de negócios para responder a novas insurgentes.

✓ Institua uma "reunião das segundas" para agilizar a tomada de decisões e eliminar obstáculos.

CAPÍTULO 4

REVERTA A ESTAGNAÇÃO
COMO REAVER A MAGIA DA EMPRESA QUANDO O CRESCIMENTO DESACELERA

A certa altura do caminho, dois terços das empresas já crescidas vão, segundo nossos cálculos, enfrentar a segunda crise previsível do crescimento: a desaceleração, ou *estagnação* (veja a figura 4-1). Para um líder, é um momento incrivelmente frustrante, pois nenhuma das fontes naturais de propulsão do passado parece produzir a velocidade e o impulso de antigamente. Você começa a perceber que a solução está em outra coisa, em algo diferente. Mas o quê? Até que ponto a solução requer um novo curso de ação, uma nova estratégia? Até que ponto requer mudanças internas, na tripulação ou até na própria nave?

Para começar a discussão, voltemos à situação da The Home Depot em 2007. Quando interrompemos a história, a empresa estava em sérios apuros. Em sete anos, seu valor de mercado tinha caído 55%. Greg Brenneman, o membro mais antigo do conselho de administração, nos fez um resumo da situação da empresa lá atrás: "Uma grande fenda tinha se aberto na fundação" da The Home Depot, contou. "Essa fenda estava crescendo e as causas eram internas e controláveis – não externas."

FIGURA 4-1

Estagnação: a crise de desaceleração do crescimento

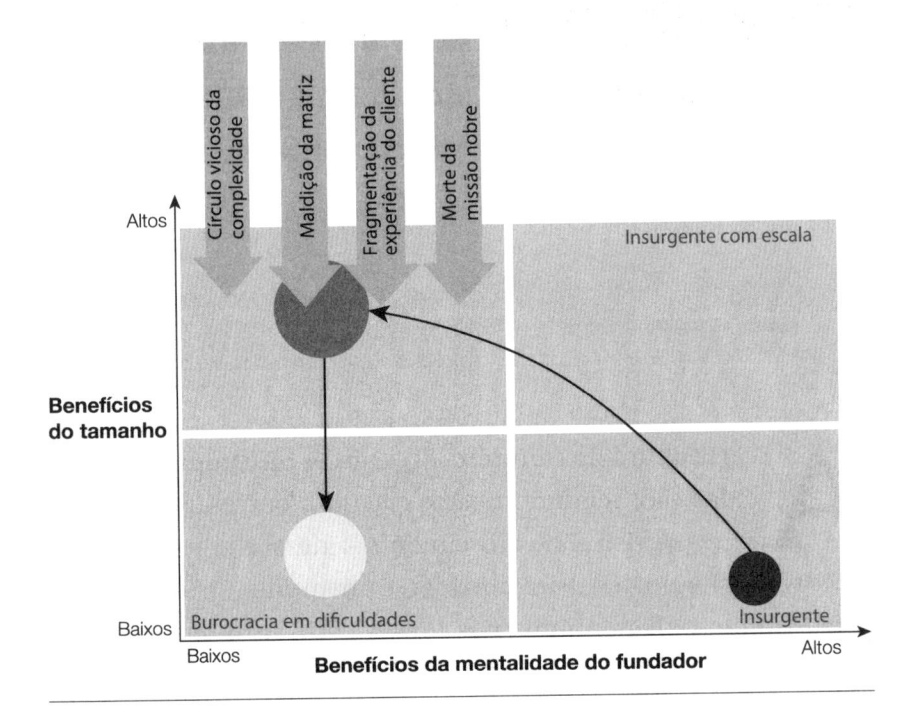

Setas descendentes: Círculo vicioso da complexidade | Maldição da matriz | Fragmentação da experiência do cliente | Morte da missão nobre

Eixo vertical: Benefícios do tamanho (Baixos / Altos)
Eixo horizontal: Benefícios da mentalidade do fundador (Baixos / Altos)

Quadrantes: Insurgente com escala (superior direito); Burocracia em dificuldades (inferior esquerdo); Insurgente (inferior direito).

DE VOLTA À FOUNDER'S MENTALITY

Com a renúncia do controvertido Robert Nardelli em 2007, o conselho instalou Frank Blake no posto de CEO. Blake imediatamente viu que teria de ir cuidar da experiência do cliente, muito deteriorada, e do desempoderado pessoal da linha de frente – pois isso minara as vantagens herdadas dos fundadores. Repersonalizar a experiência na linha de frente para clientes e trabalhadores virou sua grande prioridade.

Desde o início, Blake difundiu em alto e bom som a mensagem de que a mentalidade dos fundadores estava de volta. No primeiro dia no cargo, o executivo se dirigiu a todos os funcionários pelo canal interno de TV da The Home Depot. Na ocasião, citou largamente um livro publicado pelos fundadores, *Built from Scratch* [Construído do Zero]. Dois gráficos da obra mereceram especial atenção: um martelava os valores da empresa e, o outro, exaltava a linha de frente da empresa – as lojas, onde clientes e funcionários interagiam –, instalada no topo de um triângulo invertido. Brenneman frisou a importância dessa mudança de ênfase. "A primeira coisa que o Frank fez foi louvar os fundadores, Bernie Marcus e Arthur Blank", contou Brenneman. "Quando o Frank apareceu na reunião de gerentes de lojas com o lendário Bernie Marcus a tiracolo, todo mundo sabia que as coisas iriam mudar."

Muitas das primeiras iniciativas do novo CEO tinham como meta reempoderar a turma do avental laranja: o pessoal na linha de frente das lojas que atendia o público. Por sugestão de Marcus, Blake passou a fazer visitas às lojas sem se identificar. Essas "missões secretas", como chamou, foram tão úteis, que Blake mandou todo alto executivo da equipe ir trabalhar periodicamente nas lojas, algo que a maioria nunca fizera.

Na esteira, Blake lançou uma série de iniciativas coordenadas de rejuvenescimento. Reestruturou as divisões, fechou uma série de lojas que davam prejuízo (todas abertas durante a crise), vendeu a divisão voltada ao construtor e fechou um braço de eletrodomésticos bacanas, a Home Depot Expo. O que fez, basicamente, foi encolher para poder crescer e se concentrar no *core*. Blake também lançou uma séria reestruturação da cadeia de suprimento, criando uma rede de 19 centros regionais de distribuição para minimizar o problema da falta de produto nas gôndolas e simplificar a gestão de estoques nas lojas – para que o pessoal pudesse voltar a se dedicar mais ao atendimento ao cliente. Blake sextuplicou o bolo de bonificações a ser repartido entre o pessoal, recontratou uma leva de veteranos e instruiu gerentes das lojas a retomar a política pré-Nardelli de reconhecer, com distintivos, todo trabalhador que tivesse dado um atendimento excepcional ao cliente.

Oito anos antes, a The Home Depot tinha perdido sustentação e enfrentava a possibilidade de uma queda livre. Graças à renovação da mentalidade do fundador promovida por Blake, a empresa conseguiu reenergizar o pessoal e repersonalizar a experiência do cliente. Essa retomada dos princípios básicos voltou a fazer da empresa uma das queridinhas do mercado acionário. Seu valor subiu de cerca de US$ 20 por ação para mais de US$ 120 (veja a figura 4-2).

FIGURA 4-2

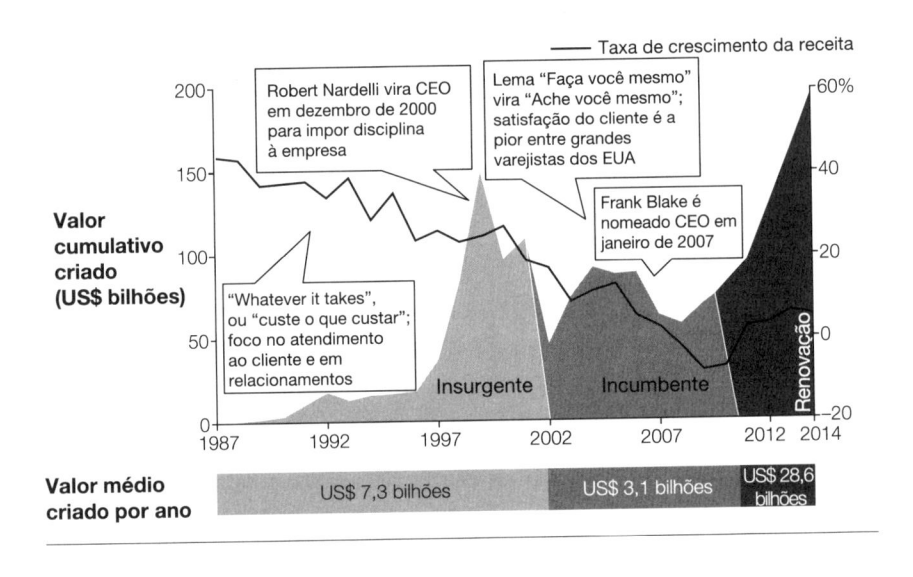

Stall-out e recuperação da The Home Depot

— Taxa de crescimento da receita

Valor cumulativo criado (US$ bilhões)

- Robert Nardelli vira CEO em dezembro de 2000 para impor disciplina à empresa
- Lema "Faça você mesmo" vira "Ache você mesmo"; satisfação do cliente é a pior entre grandes varejistas dos EUA
- Frank Blake é nomeado CEO em janeiro de 2007
- "Whatever it takes", ou "custe o que custar"; foco no atendimento ao cliente e em relacionamentos

Insurgente | Incumbente | Renovação

1987 — 1992 — 1997 — 2002 — 2007 — 2012 — 2014

Valor médio criado por ano: US$ 7,3 bilhões | US$ 3,1 bilhões | US$ 28,6 bilhões

A IMPORTÂNCIA DO JOGO INTERNO DA ESTRATÉGIA

O *stall-out* de empresas grandes como a The Home Depot é absurdamente comum. Tudo indica que, nos próximos 15 anos, de cada três empresas bilionárias mundo afora, uma vai desacelerar, quebrar, ser comprada ou se partir em pedaços. Para piorar, entre aquelas que perdem embalo e tentam se reerguer, a taxa de sucesso é pequena: de cada sete, menos de uma consegue (veja a figura 4-3, baseada na evolução do desempenho de empresas do ranking *Fortune* 500 de 1998 a 2013). Essas conclusões coincidem com as de outras fontes – como o Corporate Executive Board, que analisou as 500 maiores empresas de capital aberto no intervalo de 50 anos de 1955 a 2005. O custo do *stall-out* se manifesta rapidamente no plano econômico: de cada dez empresas em desaceleração, por exemplo, quase nove vai perder mais da metade do valor de mercado.[1] Imagine, leitor, o efeito cascata que isso tem em planos de pensão de trabalhadores, no retorno de investidores e na carreira dos maiores talentos da empresa.

FIGURA 4-3

Frequência do stall-out e da recuperação

EMPRESAS DO RANKING FORTUNE 500, 1998
(PERÍODO ANALISADO 1998-2013)

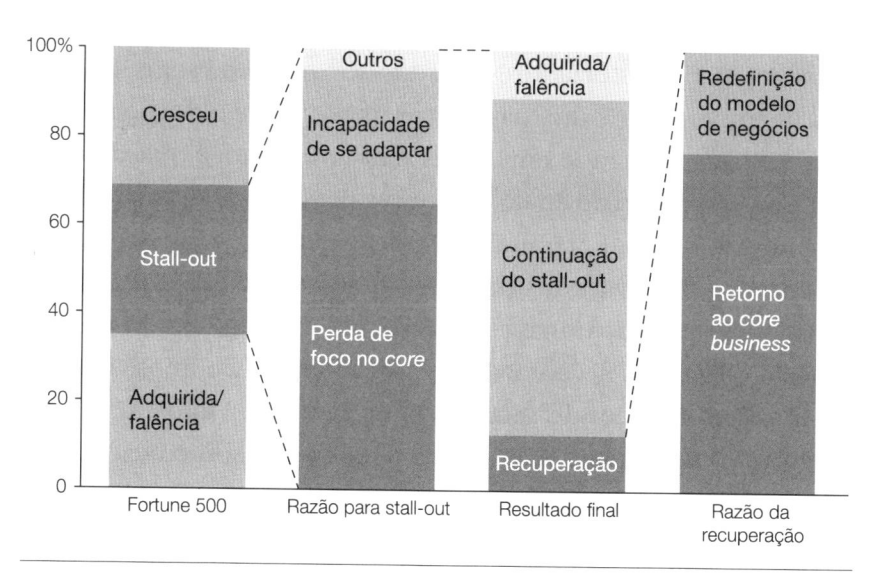

Em empresas que conseguiram se recuperar, a saída em geral foi estreitar, simplificar e reconstruir o *core business*, renovando certas características que a empresa exibia em seus dias de glória. Em mais de dois terços dos *stall-outs*, o problema não estava relacionado ao surgimento de um novo modelo de negócios que veio revirar o setor, como fez a Amazon com livrarias tradicionais, ou como o Uber está tentando fazer com o serviço convencional de táxi. Tampouco tinha a ver com uma grande novidade tecnológica que causara abalos tectônicos nas regras do jogo do setor, como o telefone celular vem fazendo na área de pagamentos no varejo, por exemplo. Em geral, o problema era interno.

A complexidade é a causa mais comum da perda de embalo. Para incumbentes, é um problema cada vez maior, já que insurgentes jovens e velozes estão conquistando poder mais depressa do que nunca no mercado. Hoje, mais de metade dos executivos crê que sua maior concorrente no futuro não será a mesma empresa com a qual competem hoje – mas sim uma rival mais simples, mais jovem, mais rápida e munida de uma tecnologia nova em folha. Isso faz lembrar o que o historiador Niall Ferguson escreveu sobre a derrocada de impérios que um dia pareceram eternos e todo-poderosos: "Quando algo dá errado em um sistema complexo, é quase impossível prever a escala do abalo", afirmou. Segundo Ferguson, economias inteiras "passam subitamente da estabilidade para a instabilidade". Como prova, o historiador cita a absurda rapidez com que um império atrás do outro ruiu (França no século 18: quatro anos; Império Otomano no começo do século 20: cinco anos; Império Britânico em meados do século 20: menos de dez anos; União Soviética no final do século 20: cinco anos). Ferguson conclui que o colapso de sistemas complexos acelera quando peças internas da engrenagem começam a se mover de modo cada vez mais descoordenado e conflitante, conclusão muito parecida à que chegamos sobre grandes empresas incumbentes – que, naturalmente, também são uma espécie de império.[2]

Como, então, uma empresa grande e complexa evita essa sina? Como mantém viva a insurgência ao deixar de ser a revolucionária do setor, ou pelo menos a bola da vez, e virar a incumbente, quem sabe até a maior representante do setor? O segredo é voltar o olhar para dentro, onde se encontram as causas do *stall-out*.

Quando examinamos medidas concretas tomadas por líderes para reverter ou prevenir um *stall-out* incipiente, descobrimos que normalmente envolvem a renovação da mentalidade do fundador, em geral com a ênfase em um único elemento, e não nos três ao mesmo tempo. É diferente do que ocorre na queda livre, que abordaremos no próximo capítulo – quando em geral é preciso lidar com todos os elementos simultaneamente, sob uma situação de emergência.

REACENDER A INSURGÊNCIA

Empresas em mercados extremamente dinâmicos às vezes entram em *stall-out* porque ganharam complexidade, desaceleraram e, no meio do caminho, perderam o senso exato de sua insurgência. O ser humano tem dificuldade para manter a complexidade sob controle – daí nossa casa estar cheia de coisas já desnecessárias e nossa agenda, lotada de atividades irrelevantes. Empresas, sobretudo em setores dinâmicos, têm o mesmo problema: vão acumulando projetos, ativos, atividades, divisões, processos – e raramente fazem uma limpa. O resultado é que perdem o foco, a energia e a noção clara daquilo que é verdadeiramente importante. Por mais contraintuitivo que possa soar, a melhor maneira de renovar o foco e reacender o senso de insurgência não é formular uma nova missão. O ideal é começar com medidas ousadas para destravar recursos, mostrar comprometimento e fechar o foco e, só então, usar esses recursos para tornar real sua missão – agora já renovada.

Desferir um golpe na complexidade e em custos

Uma incumbente em desaceleração deve, antes de mais nada, simplificar seu portfólio, destravar recursos e começar a abandonar projetos não essenciais. Ao analisar dez operações bem-sucedidas de recuperação e reinvenção que ajudamos nossos clientes a orquestrar, descobrimos que todas envolveram um corte de custos operacionais de ao menos 8% – e, em certos casos, de mais de 25%. Reduzir a complexidade de maneira tão drástica não serve só para melhorar a situação financeira e simplificar as operações. Ajuda, também, a liberar recursos que permitam à empresa bancar uma genuína transformação e investir em capacidades para se reinventar – coisas que ajudam a incumbente a se preparar para fazer frente a rivais novas, insurgentes.

De modo mais geral, anos de experiência nos ensinaram que a melhor maneira de combater a complexidade é de cima para baixo. Isso requer várias medidas. A primeira é se desfazer de ativos e operações de caráter não essencial. Isso feito, é hora de traçar uma estratégia mais simples para as operações que ficaram. Em seguida, é a vez de erradicar a complexidade na organização e em seus principais processos. E, por último, é preciso reduzir a complexidade de produtos, de fornecedores e do desenho de produtos. Já vimos muita equipe tentar essa transformação na ordem inversa – e acabar presa em detalhes antes de chegar ao que realmente produz a maioria das transformações: a redução da complexidade e dos custos num plano elevado – e a renovação da insurgência por toda a empresa.

Para ter uma ideia de quão eficaz essa abordagem pode ser, peguemos o caso da Cisco.

Poucas empresas personificam a ascensão da internet e do Vale do Silício como a Cisco. Fundada em 1984 por Leonard Bosack e Sandra Lerner, uma dupla de marido e mulher que então trabalhava na

Stanford University, a Cisco foi a primeira a lançar no mercado um roteador que permitia a perfeita comunicação entre computadores – a chave para a World Wide Web e a internet em seu formato atual. Os roteadores e switches da Cisco viraram o padrão do setor, conquistando e controlando cerca de 60% do mercado mundial durante três décadas. A empresa, tocada desde 1995 por John Chambers, cresceu mais de 27% ao ano entre 1995 e 2005, período no qual seu valor de mercado subiu para mais de US$ 550 bilhões, fazendo dela a empresa mais valiosa do planeta. A Cisco avançou pela crise da sobrecarga sem um soluço sequer: virou uma empresa gigantesca, manteve a liderança no mercado, profissionalizou a gestão e os sistemas e foi a indisputável incumbente por bem mais de uma década.

Mas, como na maioria dos mercados de tecnologia, o cenário mudou depressa. Empresas novas – Huawei, VMware, Juniper Systems, Arista – entraram em cena. Tocadas pelos fundadores, eram rápidas, focadas e flexíveis. Com o barateamento do hardware e a chegada de software mais sofisticado, o *profit pool* migrou para novas habilidades, novos equipamentos e novo software. Tecnologias móveis também estão mudando a natureza do jogo. O resultado é que, de 2005 para cá, a taxa de crescimento da Cisco caiu para 7%. Com investidores preocupados, o valor de mercado da empresa desceu sem parar; hoje é de cerca de US$ 140 bilhões – menos de um terço do que foi em seu auge. Gary Moore, que foi diretor de operações da empresa, há pouco descreveu a situação que a Cisco enfrentava à época:

> Embora [a empresa] fosse altamente rentável e seguisse crescendo, tínhamos uma série de "plataformas em chamas" dentro e fora da empresa, o que exigiu uma transformação. No plano externo, nosso crescimento vinha caindo, ficando aquém das metas e causando uma queda na cotação das ações que, se não fosse contida, teria derrubado o valor de mercado da empresa para menos do que o valor contábil.

Além disso, a carteira de investimentos tinha ficado tão complexa, que estávamos racionando fundos para projetos cruciais no *core business* a fim de bancar o crescimento das 56 adjacências que tínhamos criado – como o Flip Phone, que no final abandonamos. Estávamos gastando mais de US$ 5 bilhões em P&D (mais de 10% das vendas), mas não a administrávamos como uma carteira de apostas. Para piorar, as decisões eram tomadas em grandes painéis e comitês que chamávamos de conselhos, em geral sem qualquer poder de decisão para racionalizar essas iniciativas. Aliás, a estratégia passada de crescimento desviara tanta energia para novas adjacências, que muitos de nossos melhores engenheiros duvidavam que houvesse um futuro promissor no *core business*, que gerava o grosso do fluxo de caixa. Muitos acabaram deixando a empresa, uma das razões para o Vale [do Silício] ter tanto engenheiro excelente que veio da Cisco: não estávamos investindo o suficiente no *core*. Todo mundo estava atrás da "última grande novidade". Os clientes também vinham dizendo que precisávamos estar mais atentos as concorrentes. Embora ainda fôssemos uma líder forte em nosso *core*, indicadores internos e externos estavam dizendo que tínhamos de tomar alguma providência.[3]

E foi o que Moore e a equipe fizeram. Simplificaram processos, identificaram negócios e ativos marginais a desovar e zeraram o orçamento de despesas – tudo como parte de um programa chamado ACT, ou Accelerated Cisco Transformation (na tradução literal, transformação acelerada da Cisco). A ideia é que o ACT logo estivesse se pagando sozinho. O objetivo? "Simplificar, empoderar e aumentar a *accountability*" – metas nada distintas daquelas consagradas pela mentalidade do fundador.

Vejamos como se deu o processo. Primeiro, foram criadas oito iniciativas distintas para simplificar as operações, reduzir custos e ganhar velocidade, com um alto executivo a cargo de cada uma.

A equipe foi ouvir os principais atores em todo negócio e em tudo quanto é escalão – vendedores na linha de frente, engenheiros, fornecedores e parceiros, clientes de ponta – para colher seu diagnóstico da situação e ideias para melhoramentos. Esse diálogo segue aberto. Nos últimos anos, quando a Cisco se viu sob ameaça cada vez maior de adversárias insurgentes e velozes, o foco dessa conversa foi achar maneiras de reduzir o tempo que um novo produto leva para chegar ao mercado. Graças ao programa ACT, que sublinhou a importância do contato entre gestores e atores cruciais na linha de frente, a empresa reformulou o processo de desenvolvimento de produtos, criou um novo software de gestão de projetos e contratou engenheiros com experiência em ciclos rápidos (*fast cycle times*). Está dando certo: após implementar esses planos, Moore contou que, em certas áreas, a Cisco conseguiu reduzir o tempo que levaria para desenvolver um produto, antes de três a cinco anos, para 18 meses. Hoje, a empresa acredita estar ditando o padrão da indústria nessa arena.

Desde que o ACT começou, quatro anos atrás, a Cisco ficou mais rápida, mais enxuta e mais focada. Índices de satisfação de trabalhadores e clientes subiram. A empresa cresceu 15% nesses quatro anos, mas tem menos funcionários. A cotação das ações dobrou. As margens subiram quatro pontos percentuais, gerando quase US$ 3 bilhões em lucro.

Redescobrir a insurgência do passado

Quando uma empresa encolhe para se reorganizar, remanejar recursos e crescer, é comum redescobrir o poder da insurgência original e assumir um compromisso renovado com essa missão. Foi o que ocorreu com a gestora de recursos Perpetual – a mais antiga da Austrália –, que para renascer promoveu um corte de 20% nos custos operacionais e abandonou atividades sem relação com o *core*. O resultado, disse um analista do setor, foi "a maior transformação na história da indústria de serviços financeiros australiana".

A Perpetual foi fundada em 1886 para administrar o patrimônio da abastada elite australiana. Cumpriu tão bem a função, que rapidamente virou a maior empresa do gênero no país. Por mais de um século, foi a líder do mercado australiano. Conforme ia crescendo, no entanto, a firma foi se diversificando, entrando em 11 novas áreas. Em 2011, perto do aniversário de 125 anos, estava em crise. Em apenas cinco anos, seu valor de mercado caíra 80%: do pico de US$ 84 por ação para US$ 19. O lucro recuara 75% e nada indicava que pararia por aí. Investidores pediam publicamente uma grande reestruturação e a empresa estava no terceiro CEO – Geoff Lloyd – em 12 meses.

Ao chegar à empresa, Lloyd ficou profundamente preocupado com a situação. Em suas palavras:

> Encontrei uma organização que era competitiva internamente e cooperativa externamente, quando deveria ser o contrário. Estávamos focados demais em interiorizar as razões para não estarmos crescendo e em apontar culpados, em vez de estar lá fora ajudando os clientes a serem mais competitivos. Tínhamos adquirido uma incrível complexidade ao longo do tempo, entrando em mais áreas – 11 no total –, sendo que, na maioria delas não éramos a líder. Não parecíamos ter uma estratégia de longo prazo e não havia consenso sobre onde queríamos chegar. O insucesso da diversificação fez com que perdêssemos confiança. Tínhamos afundado na complexidade e estávamos hesitantes, focados internamente, incertos como organização. Isso fazia com que demorássemos a decidir e a reagir. Tínhamos pouco tempo para endireitar o barco depois de um período tão longo de resultados ruins. Havia, ainda, a pressão de firmas de *private equity* de olho na empresa. Tínhamos de ser transformacionais, e não incrementais.[4]

Depois de uma apuração inicial dos fatos, Lloyd concluiu que, para salvar a Perpetual, teria de conduzir a empresa de volta à sua missão central, conforme definida mais de um século antes por seus fundadores: proteger a riqueza da Austrália. Para atingir essa meta, viu que teria de tornar a empresa "mais rápida, mais confiante e, sobretudo, mais simples". Para tanto, precisaria fazer imediatamente uma "cirurgia de peito aberto".

Lloyd partiu trocando 10 dos 11 integrantes da equipe de gestão por gente que não tinha nada a ganhar ou perder com as decisões do passado. Instalada essa nova equipe, lançou um programa – o Transformation 2015 – com cinco grandes iniciativas. Supervisionado por um escritório central, o programa tinha como meta promover uma redução rápida e radical da complexidade em todos os níveis. Uma iniciativa, a "portfólio", derrubou o número de negócios que a empresa tinha de 11 para 3 (2 dos 11 negócios geravam cerca de 95% do lucro econômico), reduziu a carteira de imóveis pela metade, eliminou mais de cem estruturas antigas de financiamento e diminuiu em 60% o número de entidades de negócios independentes. Outra iniciativa, a "modelo operacional", reduziu em mais de 50% o total de pessoal lotado na sede da firma.

Ainda no programa Transformation 2015, Lloyd e a equipe analisaram custos em toda a organização e descobriram que 60% do total estavam ligados ao suporte de back-office, a atividades administrativas e a mecanismos redundantes de controle e vigilância. Veja bem: a empresa estava empregando apenas 40% dos recursos em caixa em vendas, atendimento ao cliente e investimento, ainda que fossem suas principais atividades. Lloyd e a equipe descobriram que a Perpetual estava usando, organização afora, mais de três mil sistemas e aplicativos distintos de informática. Não surpreende que o funcionário típico vinha fazendo mais de cinco ligações por mês ao help-desk – em nada um sinal de eficiência.

Promover cortes – em operações, burocracia, pessoal, custos, sistemas de informática e mais – foi fundamental para a transformação promovida por Lloyd. Ao mesmo tempo, no entanto, o executivo e a equipe embarcaram num plano positivo para investir e ganhar participação de mercado no *core* da empresa, o que incluiu usar recursos liberados pela reestruturação interna para comprar a The Trust Company, o que ajudou a aumentar a participação no *core business* da firma – a gestão de grandes fortunas. A equipe a cargo da transformação também trabalhou para envolver os funcionários no plano, sobretudo os da linha de frente. Lloyd fez várias reuniões abertas a todo o pessoal, algo que jamais acontecera na Perpetual. A ideia era discutir a situação da empresa, seus planos futuros e seus principais valores. "Pensamos muito para redigir nossa missão e estratégia", contou Lloyd. "Agora, as pessoas respiram dia e noite nossa visão, que é ser a maior e mais confiável gestora independente de patrimônio da Austrália. Criamos uma estratégia em uma página, batizada de One Perpetual, com um conjunto mais simples de medidas e foco na transparência. Quem não agia de forma condizente com o One Perpetual e nossos valores precisou se ajustar. Já líderes que agiam foram celebrados e mudamos nosso sistema de compensação de acordo com isso".

Juntas, as estratégias de Lloyd produziram uma guinada impressionante. A cotação das ações da Perpetual dobrou em relação ao piso em que se encontrava quando o executivo chegou, o comprometimento do pessoal subiu de 40% para 60%, a empresa vem ganhando participação nos principais mercados e o lucro líquido mais do que triplicou. A moral dessa história é simples, mas crucial: a chave para resgatar e revigorar uma empresa em queda livre é promover uma redução rápida e radical da complexidade e dos custos.

Essas reversões sempre exigem a erradicação da complexidade empresa afora para renovar a insurgência em todas as suas três dimensões.

RENOVAR A OBSESSÃO COM A LINHA DE FRENTE

Outra abordagem para reverter o *stall-out* é começar a renovação pela linha da frente e vir retrocedendo dali. Essa é a rota favorita quando a intimidade com o cliente é fundamental para a empresa competir no mercado ou quando contar com uma linha de frente altamente comprometida é particularmente importante para ajudar a empresa a melhorar e a se adaptar continuamente. Como observamos no início desse capítulo, a The Home Depot fez isso muito bem. O mesmo vale para a gigante industrial 3M.

Redescobrir práticas esquecidas do passado

Às vezes, o fundador realmente acertou em cheio lá no começo. Foi o que descobriu George Buckley ao assumir o comando da 3M em 2005. Buckley teria de ir de volta para o futuro.

Àquela altura, a 3M somava mais de um século de liderança na indústria de adesivos e abrasivos. Graças a um investimento constante em P&D, a empresa reiteradamente fizera da inovação uma de suas grandes vantagens competitivas. Uma leva de produtos emblemáticos – Post-it, fita adesiva Scotch, filmes ópticos – saíra dos laboratórios da 3M durante a longa incumbência da empresa.

Em 2005, no entanto, a 3M começara a perder o rumo, a magia e até a confiança. Em dúvida quanto ao futuro potencial de crescimento do tradicional *core* de abrasivos e adesivos, seus executivos tinham começado a se concentrar em dois dos negócios mais recentes no portfólio da empresa: produtos farmacêuticos e filmes ópticos. No processo, segundo nos contou Buckley, tinham cortado em 20% a P&D do *core* e em 65% as despesas de capital. Os preços no *core business* tinham recuado 12% e a parcela de novos produtos em desenvolvimento caíra para o menor patamar de todos os tempos. O moral do pessoal andava baixo, sobretudo na linha de frente e entre os principais desenvolvedores de produtos, que se sentiam cada vez mais oprimidos pela exigência de prestação de contas financeiras e a perda da flexibilidade.

Buckley, um inglês que passara a maior parte da carreira pilotando multinacionais, foi recrutado para reerguer a empresa. Quase que de imediato, diagnosticou os problemas como internos. "Encontrei uma empresa que tinha perdido a garra e a confiança no *core*", disse. "Os engenheiros e o pessoal da P&D estavam desanimados, se sentindo rejeitados. Tinham sido os heróis da 3M, mas já não eram reverenciados. Aliás, eram culpados pelo baixo crescimento. No auge, 30% da receita vinha de produtos com menos de cinco anos de existência, mas quando cheguei essa marca era de apenas 8%. Estávamos jogando o jogo do custo, não o jogo da inovação e da diferenciação, que sempre fora nosso sucesso. Nossos principais mercados vinham crescendo à média de 3,5%, mas nosso crescimento neles era de apenas 1,5%. A empresa estava à míngua. Estava, basicamente, desmoronando psicológica, operacional e financeiramente."[5]

Buckley tomou providências rápidas para conduzir a 3M de volta à missão e às práticas centrais – "a um mundo no qual a inovação no *core* voltava a importar", como nos disse. Vendeu a divisão de produtos farmacêuticos e se concentrou em devolver poder aos engenheiros na linha de frente da empresa. Reabriu laboratórios que tinham sido fechados e restabeleceu a política de dar a todo engenheiro um dia por semana para trabalhar em ideias próprias. Incentivou fóruns criados pelo pessoal da área técnica para debater novas ideias. Foi a milhares de reuniões, de todos os escalões, e visitou centenas de fábricas. Em tudo o que fez, lutou para incutir um senso de empreendedorismo interno, de autoconfiança e de empoderamento nos rincões mais profundos na empresa.

Os resultados foram impressionantes. Buckley contou que em 2012, quando saiu da 3M para se aposentar, os índices de comprometimento e satisfação do pessoal tinham mais do que dobrado; o crescimento no *core* deixara o território negativo e batia em 7%; e 34% da receita da empresa voltara a vir de produtos com menos de cinco anos de estrada. À época da aposentadoria, Buckley recebeu 3.200 cartas de funcionários agradecendo o executivo por ter restituído tudo o que fizera da 3M uma empresa espetacular. No último dia, mais de 1.200 pessoas se aglomeraram na porta de sua sala para apertar sua mão, um exemplo comovente do poder dos insights originais do fundador e, diríamos até, da mentalidade do fundador em geral.

Em nossas conversas com Buckley, sentimos que o que o motivava, mais do que tudo, era um sentimento profundo, quase espiritual, de responsabilidade para com o grande legado de engenharia da 3M – e, sobretudo, para com os milhares de indivíduos labutando incansavelmente nas trincheiras. Foi essa gente que, em última instância, tornou tudo possível. Grandes fundadores e líderes exalam esse senso de reverência e responsabilidade. Falando de sua passagem pela 3M, Buckley disse algo bem parecido a declarações que já ouvimos de outros líderes: "Fui tomado por uma noção muito forte daquilo que era certo ou errado. Meu senso de responsabilidade, olhando hoje, era profundo; tinha completa devoção pelo legado dessa grande empresa".

RECRIAR A CABEÇA DE DONO

Às vezes, especialmente em serviços *high-touch* – de alta mediação humana – e em empresas nas quais funcionários cruciais estão dispersos por várias unidades autônomas, a melhor forma de começar a combater o *stall-out* é reempoderar, reenergizar e refocar as tropas na linha de frente. Lembremos de um dado impressionante que demos lá atrás: que o trabalhador que se sente comprometido e empoderado – que tem cabeça de dono, em outras palavras – é cinco vezes mais inclinado a sugerir soluções para problemas e a ter ideias inovadoras do que um trabalhador que não se sinta assim.

Restituir essa cabeça de dono é uma técnica formidável para resistir aos ventos que derrubam e evitar o *stall-out*. E há várias maneiras de fazê-lo. Uma delas é cultivar empreendedores dentro da própria empresa, mudar a composição da liderança, instituir novos exemplos de conduta e criar experiências de "minifundadores" para despertar esse senso de posse. Outra é mudar o próprio controle da empresa – o que, em casos extremos, pode significar a abertura do capital, a busca de parceiros profissionais de *private equity*, ou ambas as coisas.

Vejamos cada uma dessas abordagens, a começar pela ideia de adquirir empresas jovens no mercado e integrar de forma produtiva a equipe fundadora dessas empresas à nave mãe. Muitas companhias, sobretudo de setores movidos a tecnologia como Cisco e eBay, tiveram sucesso nessa empreitada. Para saber como, vejamos o exemplo da eBay.

Buscar ajuda de fora para renovação interna

Quando assumiu a presidência da eBay, John Donahoe tinha desafios enormes. Apesar do tremendo sucesso inicial, e de ter sido uma das primeiras empresas de internet a adquirir um grande porte, a eBay estava estancada em 2008, vítima de novas concorrentes no comércio eletrônico e de sua própria campanha de diversificação – o que incluiu a compra da empresa de telefonia Skype. Seu modelo de leilão virtual envelhecia e, agora, parecia vulnerável ao ataque de rivais. Em franco declínio, seu valor de mercado caíra de US$ 59 por ação em 2004 para apenas US$ 10.

Donahoe entendeu o que seria necessário para fazer a empresa voltar a avançar. Teria de se desfazer de operações marginais que a empresa adquirira, reformular a plataforma de e-commerce e, mais do que tudo, teria de deslocar a atenção para um dos grandes focos de inovação hoje em dia: o comércio eletrônico em plataformas móveis, ou m-commerce. O executivo sabia que precisava fazer um investimento certeiro num recurso novo – e o *mobile*, entendeu, era a arena ideal para isso. Para que a investida no espaço móvel desse certo, no entanto, Donahoe precisaria turbinar o pipeline de inovações e capacidades da eBay, e a única forma de conseguir essa proeza seria "encher a eBay de jovens empreendedores",[6] contou. Foi exatamente o que começou a fazer, guiado pela experiência em ajudar empresas a sair do *stall-out*: para desempacar, às vezes é preciso recorrer à ajuda de forças externas.

Pouco depois de assumir o leme, Donahoe começou a absorver empresas pequenas, ainda tocadas pelos fundadores. Comprava cerca de uma a cada três meses. Estava particularmente interessado em segurar esses novos fundadores e as respectivas equipes na casa, não raro para poder instalá-los em postos no *core business*, onde poderiam aplicar seus dotes insurgentes em maior escala. Donahoe disse: "Muitos desses fundadores gostam da nossa abordagem, pois podem inovar em grande escala na eBay e levar sua inovação a 130 milhões de clientes ao redor do mundo."

Foi isso o que Donahoe fez com muitos dos fundadores que trouxe para a empresa – caso de Jack Abraham, à época com 25 anos de idade. Abraham criou o site de comparação de preços Milo.com. Certo dia, na reunião regular que Donahoe fazia às sextas só com líderes de empresas abaixo dos 30, Abraham ergueu a mão e propôs uma grande inovação para o *core business*. Donahoe pediu que o rapaz fosse averiguar o que seria preciso para explorar a ideia. Assim que a reunião acabou, Abraham achou seis dos melhores desenvolvedores da casa, saiu para beber com todos naquela noite e convenceu a turma a rumar com ele na manhã seguinte para a Austrália, onde passariam duas semanas trabalhando no desenvolvimento de um protótipo.

O que trouxeram de volta deixou Donahoe de queixo caído. "Foi a melhor inovação que eu vira em anos", contou. "Se tivéssemos encarregado uma equipe normal de produtos [da tarefa], eu teria recebido centenas de PowerPoints, um prazo de dois anos e um orçamento de US$ 40 milhões. Já esses caras, com a 'mentalidade do fundador', como vocês chamam, foram lá, trabalharam sem trégua e criaram um protótipo. Esses caras veem coisas que a maioria não vê. Eles criam. Não fazem PowerPoint. Vão lá e criam."

Essa estratégia – trazer ajuda de fora para redespertar a cabeça de dono – já deu frutos espetaculares para muitas empresas. Foi uma das responsáveis pela guinada da eBay, juntamente com outras medidas, entre elas a salutar cisão da PayPal, que deu à eBay mais independência – outro exemplo de como acentuar a mentalidade do fundador. Nos sete anos em que Donahoe foi CEO da eBay (cargo que o executivo deixou para ir presidir o conselho da PayPal), a cotação das ações da empresa se multiplicou por cinco. Obviamente, essa abordagem é mais adequada para empresas em mercados em rápida evolução, nos quais uma incumbente precisa constantemente somar tecnologias e adquirir capacidades novas. Para essas empresas, pode ser um jeito muito eficaz de gerar nova energia empreendedora.

Às vezes, nem é preciso sair da empresa para conseguir ajuda. Uma alternativa para revigorar a mentalidade do fundador é criar seus próprios empreendedores, fomentando novos negócios e experiências de "minifundador". Não estamos falando, aqui, de como uma empresa pode criar as condições para o surgimento de start-ups internas, estratégia que já foi longamente explorada na literatura administrativa e que vem sendo utilizada há tempos por uma série de grandes empresas com problemas de *stall-out*, incluindo a General Electric. Como já dissemos, nossa ideia neste livro é focar soluções que uma empresa possa implementar com rapidez para produzir resultados importantes a curto prazo. Um exemplo é o grupo norueguês de telecomunicações Telenor Group.

Criar fundadores internos

A história da Telenor começa em 2007, quando um engenheiro de telecomunicações chamado Ronny Bakke Naevdal chegou à Telenor Pakistan para assumir a direção de estratégia. A Telenor tinha crescido e virado a líder do mercado de telefonia celular do Paquistão – feito nada menor num país com uma das mais altas taxas de penetração no sul da Ásia. Mas não tinha a robustez necessária para manter a liderança no mercado paquistanês, altamente complexo e caro. Não tinha oportunidades novas para crescer. A missão de Naevdal era reverter essa tendência. Pouco depois de chegar, o executivo e a equipe decidiram que a melhor saída para tal seria criar um negócio totalmente novo em *mobile banking*.

"Quando começamos a estudar [esse setor] em detalhe no Paquistão", Naevdal contou, "ficamos surpresos com uma série de dados. Primeiro, éramos a líder do mercado em assinaturas de celular, tínhamos uma marca conhecida e de confiança e uma presença geográfica incrível, com 150 mil pontos de venda no pequeno comércio em todo o país. Praticamente nenhuma outra tinha tamanha escala – o que certamente podia ser aproveitado de alguma forma. Segundo, o Paquistão, um país de 180 milhões de habitantes, tinha só 4 mil agências bancárias, o que significava menos de 40% de cobertura geográfica de serviços bancários básicos. Terceiro, o que as pessoas costumavam fazer para transferir dinheiro era absurdamente complicado. Vimos uma grande oportunidade de criar um novo negócio para resolver esse problema fundamental".[7]

A meta de Naevdal era simples, mas ambiciosa: tornar a transferência de valores via celular padronizada, simples, barata e sem intermediação (*blind*). Em um país grande e complexo como o Paquistão, no entanto, mudar práticas bancárias era uma tarefa descomunal – uma façanha que fundadores de uma start-up teriam chance quase zero de produzir por conta própria. Sem qualquer conhecimento do setor bancário, a Telenor logo percebeu que precisava de um parceiro. Em vez de escolher um banco grande, como muitas outras teriam feito, a companhia tomou a ousada decisão de se aliar ao Tameer Microfinance Bank, uma instituição pequena, mas ágil. A parceria trouxe consideráveis vantagens para a Telenor, incluindo grande escala, presença nacional e reputação internacional. E a empresa conseguiu usar essas vantagens para convencer autoridades bancárias a permitir mudanças consideráveis no sistema bancário, o que acabou garantindo uma maior inclusão financeira.

Somente uma empresa grande, de credibilidade e forte como a Telenor poderia convencer órgãos reguladores a autorizar mudanças do gênero. E somente uma empresa como a Telenor poderia simultaneamente tirar partido da reputação nacional e de relacionamentos locais com milhares de pequenos comerciantes. Ao mesmo tempo, somente uma start-up pequena, ágil e de alta energia como as que Naevdal e equipe vinham criando no esquema de minifundadores poderia instalar milhares de pontos de venda no pequeno varejo sem a presença de um único trabalhador da Telenor. E só uma start-up do gênero poderia fazer uma parceria com (e mais tarde comprar) um banco local de apenas 600 funcionários.

A abordagem deu certo. Por ter se adaptado tão bem às condições locais, a ideia de Naevdal decolou rápido e seu sucesso logo fez da Telenor o maior banco no Paquistão por volume de transações, com 50% do mercado de *mobile banking* e 10% do total de dinheiro em circulação no país passando por seus sistemas. Além disso, o domínio da empresa no *mobile banking* ajudou a reduzir o *churn* [a perda de clientes] no braço de telefonia celular e garantiu a presença da Telenor em 200 mil pequenos estabelecimentos comerciais do país todo. E tudo isso ajudou a fazer da empresa uma incumbente mais robusta, mais capaz de resistir aos ventos que derrubam.

* * *

Neste capítulo, discutimos três maneiras de combater o *stall-out*, todas envolvendo uma renovação da mentalidade do fundador. A primeira renova a insurgência e acelera o metabolismo básico de uma empresa ao reduzir custos e complexidade, como nos casos da Perpetual e da Cisco. A segunda reempodera e reinveste no pessoal e nos detalhes da linha de frente do negócio, como vimos nos casos da The Home Depot e da 3M. A terceira redesperta a cabeça de dono ao criar fundadores internos ou mudar a própria estrutura de controle da empresa. As três são um forte alicerce para mudanças, mas nenhuma é suficiente, por si só, para fazer frente à mais perigosa das crises do crescimento: a queda livre.

COMO USAR A FOUNDER'S MENTALITY EM SUA ORGANIZAÇÃO

✓ Lance uma campanha de alta visibilidade contra a burocracia. A ideia é:

- Eliminar pelo menos uma camada, processo ou exigência de informações de caráter não essencial a cada mês, durante um ano.

- Declarar como "novos heróis" aqueles que fazem o que for preciso para atender bem os clientes.

- Criar uma bússola da estratégia com a equipe de liderança e usá-la para avançar rumo a um conjunto de rotinas e comportamentos necessários na linha de frente para que a empresa bata a concorrência dia após dia.

- Perguntar rotineiramente a funcionários se indicariam a empresa a um amigo como um bom lugar para trabalhar. Se a resposta for não, indagar o porquê. O que precisa mudar para que respondam sim?

- Determinar até que ponto o poder migrou de *franchise players* e da linha de frente para o pessoal na matriz e departamentos administrativos. Usar a reunião das segundas-feiras para tomar uma medida por semana a fim de empoderar *franchise players* e garantir que recebam um suporte mais eficaz de departamentos cruciais.

- Comparar custos e velocidade com os de concorrentes insurgentes de maior sucesso. Para encurtar eventuais distâncias, priorizar um regime para "recuperar a boa forma".

CAPÍTULO 5

COMO CONTER A QUEDA LIVRE

USANDO A FOUNDER'S MENTALITY PARA SALVAR UMA EMPRESA EM RÁPIDO DECLÍNIO

Diferentemente do *stall-out*, a queda livre é um problema existencial que pede uma resposta drástica e imediata. A crise é consequência não só de ventos internos adversos mas também de tempestades externas que produzem turbulência repentina, violenta e imprevisível. A combinação dessas forças internas e externas pode ameaçar a própria existência da empresa (veja a figura 5-1).

A queda livre em geral acomete incumbentes já maduras cujo modelo de negócios é alvo da artilharia de novas insurgentes ou se torna obsoleto devido a mudanças tecnológicas ou no mercado. No caso da Charles Schwab – cuja história usamos no segundo capítulo para ilustrar os problemas da queda livre –, os dois fatores tiveram um papel. Em 2004, a empresa convivia com uma enorme turbulência externa no mercado, novas concorrentes, uma queda de 50% no volume negociado, um recuo de 75% no valor de mercado e a reversão do Net Promoter Score, que do melhor do setor passara a ser o pior, com 34% mais detratores do que promotores. No plano interno, discutia-se quanto do problema era culpa do mercado e quanto era autoinduzido. O certo é que, quando Charles Schwab voltou como CEO naquele ano para tentar salvar a empresa, não restava muito tempo. O quadro se agravava depressa e Schwab teve de promover uma transformação rápida e radical.

FIGURA 5-1

Queda livre: declínio rápido devido tanto a fatores internos como externos

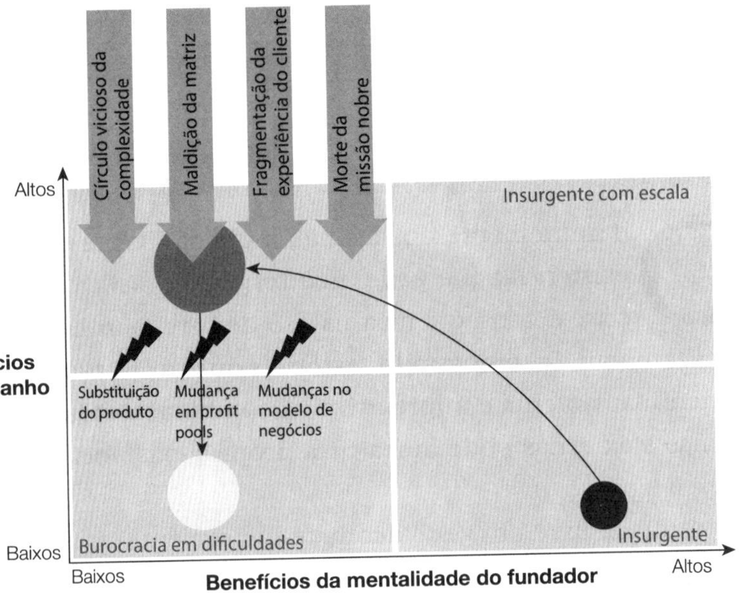

Setas (fatores internos): Círculo vicioso da complexidade; Maldição da matriz; Fragmentação da experiência do cliente; Morte da missão nobre.

Eixos: Benefícios do tamanho (Altos/Baixos) × Benefícios da mentalidade do fundador (Baixos/Altos).

Quadrantes: Insurgente com escala; Burocracia em dificuldades; Insurgente.

Fatores externos: Substituição do produto; Mudança em profit pools; Mudanças no modelo de negócios.

Charles Goldman, o executivo que ficou a cargo da transformação, falou sobre suas impressões à época: "O Chuck [Charles Schwab] queria voltar a priorizar a experiência do cliente", disse. "Trocou mais de metade da equipe executiva já de saída. (...) Em seguida, fechou o foco em quatro áreas: renovar o valor para o cliente, melhorar a experiência do cliente, fortalecer o balanço e escolher seu sucessor." A primeira providência foi estabilizar a empresa financeiramente, reduzindo custos para poder baixar preços, e desovar ativos e negócios marginais para concentrar toda a energia em reparar o *core business* original. "Fizemos uma reengenharia clássica", disse Goldman. "Vendemos todos os negócios internacionais e o braço de mercado de capitais que tínhamos acabado de comprar, simplificamos a área de pessoa jurídica e enxugamos a matriz. Começamos a devolver poder a líderes na linha de frente, com plena responsabilidade, salvo por serviços compartilhados que claramente tinham caráter subsidiário em termos de direitos de decisão. Antigamente, em uma reunião do comitê executivo, as vozes que mais se ouviam eram as do administrativo. Do chefe de recursos humanos, do chefe de estratégia, subordinado ao CEO. Esse povo dominava as reuniões, enquanto os cabeças de unidades de negócios – os executivos de linha que eram responsáveis por executar a estratégia e tinham as últimas informações do mercado – ficavam lá calados, só esperando a reunião acabar. Quando o Chuck voltou, revertemos tudo isso."

Ao assumir, Schwab se concentrou imediatamente na experiência do cliente, que tinha deteriorado drasticamente – e que fora, originalmente, um dos principais ativos da empresa. Para aumentar as margens, a verba de centrais de atendimento tinha sido cortada, o que vinha derrubando a energia e a confiança de atendentes nesses call centers. Taxas e encargos ocultos tinham aumentado e virado parte importante da receita – e considerável motivo de irritação para a clientela. Os preços também tinham subido, cortesia de uma carteira cada vez mais complexa de produtos para os oito segmentos de clientes que a corretora criara. Um executivo contou que a alta de tarifas deixara a clientela particularmente contrariada. "Nossas concorrentes estavam cortando drasticamente os preços para fechar operações", disse. "Às vezes, para US$ 10. Nossa tarifa básica era de

US$ 29,95, sendo que a média era de US$ 35. Nossos melhores clientes se sentiam traídos por termos deixado de ser uma corretora barateira, a ideia original de valor na experiência do cliente. Isso afetava toda a orientação do nosso negócio, [que passou a ser] sustentar essas taxas em vez de voltar a sermos competitivos."

Para interromper a queda livre, Schwab entendeu que teria de reinvestir na fonte original do sucesso e reestruturar a corretora com base naquilo que a tornara espetacular no passado (a noção de si mesma como a suprema insurgente). Schwab sabia, por exemplo, que as centrais de atendimento não eram um serviço acessório, que podia ser enxugado para melhorar margens. Eram, antes, uma ferramenta valiosa para forjar relações com clientes. Junto com a equipe, calculou o valor da fidelidade do cliente (muitos clientes novos, por exemplo, podem ser atribuídos a "referrals" positivos, com baixos custos de vendas) e instituiu um sistema de Net Promoter Score para poder monitorar essa fidelidade por central de atendimento, por funcionário, por filial e por equipe – diariamente. Para reforçar o sistema, adotou mecanismos e normas para que executivos ouvissem ligações de clientes aos call centers e monitorassem pessoalmente a situação daqueles com problemas difíceis. Já quanto à barafunda de encargos e taxas, Schwab entendeu que eram aquilo que nosso colega Fred Reichheld chama de "lucro ruim" e, desde que voltou, eliminou a maioria deles, incluindo tarifas de manutenção de contas. Schwab sabia, também, que não seria possível reerguer a corretora sem tornar os preços competitivos de novo. E foi o que fez, desmantelando a complexa segmentação de clientes e promovendo um pesado corte de custos.

A campanha foi um espetacular sucesso. Em questão de anos, os índices de fidelidade da empresa subiram cerca de 70 pontos, de 34 negativos para 42 positivos. Não tardou para a firma voltar a ter o maior Net Promoter Score do setor de corretagem. Com isso, a cotação das ações disparou, quadruplicando o valor de mercado da empresa nos dez anos subsequentes (veja a figura 5-2).

FIGURA 5-2

Queda livre e transformação da Charles Schwab

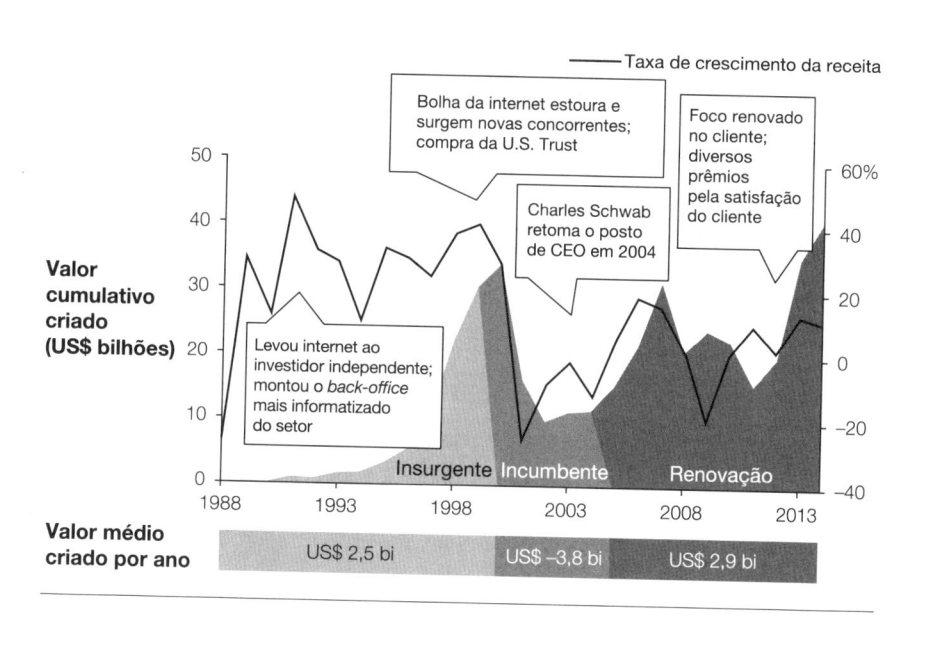

— Taxa de crescimento da receita

Bolha da internet estoura e surgem novas concorrentes; compra da U.S. Trust

Foco renovado no cliente; diversos prêmios pela satisfação do cliente

Charles Schwab retoma o posto de CEO em 2004

Valor cumulativo criado (US$ bilhões)

Levou internet ao investidor independente; montou o *back-office* mais informatizado do setor

Insurgente | Incumbente | Renovação

1988 — 1993 — 1998 — 2003 — 2008 — 2013

Valor médio criado por ano: US$ 2,5 bi | US$ –3,8 bi | US$ 2,9 bi

A DIFERENÇA ENTRE QUEDA LIVRE E *STALL-OUT*

Dois fatores caracterizam a queda livre e ilustram como essa crise é distinta do *stall-out*. Primeiro, a queda livre é um momento de declínio rápido e assombroso do crescimento rentável e do valor de mercado. Foi o caso da Schwab, que perdeu 75% do valor. Segundo, a crise em geral é desencadeada por turbulências externas no mercado e a aparição de modelos de negócios novos, competitivos. É diferente do *stall-out*, quando o perigo ainda não é mortal e as causas, como a complexidade, tendem a ser predominantemente internas.

Na pesquisa para este livro, examinamos uma amostra de 123 empresas – cada uma de um mercado distinto – e trabalhamos com especialistas para determinar quantas delas corriam um grande risco de que parte de seu modelo de negócios se tornasse obsoleto. Identificamos três formas de ameaça disruptiva em particular. Uma é a substituição do produto – a migração para smartphones, por exemplo. Outra é uma grande mudança no *profit pool*, como a que vêm vivendo companhias elétricas devido ao impacto, nos preços, de redes inteligentes e mercados livres de energia. A terceira envolve o surgimento de um novo modelo de negócios para levar um produto ao consumidor, caso de serviços de streaming de vídeo que vêm competindo com a televisão tradicional ou da ruptura provocada pela Amazon no setor livreiro. Descobrimos que 54% das empresas enfrentam, hoje, uma ou mais dessas três formas de ruptura em parte de seu modelo de negócios, 16% convivem com duas rupturas e um punhado está correndo os três perigos. Chamamos essas ameaças de tempestades – que podem ser de nível um, dois e três. Uma tempestade de nível três – quando as três formas de ruptura ocorrem simultaneamente – é um verdadeiro tufão. Pouquíssimas empresas saem vivas dela.

Como seria de imaginar, a maioria dos exemplos de cada forma de ruptura está ligada, atualmente, à internet e à explosão de tecnologias digitais. No passado, essas ameaças de obsolescência costumavam se limitar a empresas de tecnologia – como no caso da Kodak e da fotografia digital. Agora, no entanto, essas rupturas estão atingindo até os setores mais tradicionais. Mercados livres de energia estão destruindo o *profit pool* de companhias elétricas na Europa, o Uber está subvertendo serviços tradicionais de táxi e cursos on-line estão mexendo com a educação presencial.

Diferentemente do *stall-out*, no qual uma ou duas iniciativas focadas em geral conseguem afastar o perigo, a queda livre exige medidas fortes e de caráter não incremental em várias frentes. Quando uma empresa está em queda livre, seguir como sempre não é uma opção para aqueles no comando. E é aqui que proliferam as teorias sobre que medidas tomar. Alguns inevitavelmente dirão que "basta esperar, que tudo vai passar". Outros vão propor a investida em algum mercado novo que esteja bombando – o que, segundo nossa pesquisa, quase nunca é a solução. Outros, ainda, vão se concentrar em mudanças necessárias no modelo de negócios central. É um momento de perda de consenso, de um jogando a culpa no outro, de empregos em risco e de grande nervosismo interno.

Embora a parcela de empresas em queda livre em determinado instante não passe de 5% a 7%, essa crise é responsável por algumas das maiores oscilações no valor de empresas em bolsa – tanto para mais como para menos – hoje em dia (é só ver o que aconteceu com a Apple, que ardeu em chamas, renasceu das cinzas e hoje tem um valor de mercado de US$ 700 bilhões). Em empresas de nossa amostra que passaram por uma queda livre, esse período foi responsável por mais de 30% das oscilações de valor. Para piorar, a queda livre vem ocorrendo com frequência cada vez maior agora que insurgentes estão crescendo mais depressa, conquistando novos clientes mais rápido e arrebatando poder de mercado mais depressa.

Já trabalhamos com muita empresa em queda livre: com clientes da Bain, com empresas com as quais mantemos uma relação independente da Bain – e até com a própria Bain, que no final da década de 1980 teve um flerte rápido com a queda livre. E o que descobrimos é que, para reverter a queda livre, é preciso empregar toda a força da mentalidade do fundador, não só para rejuvenescer a empresa – mas para refundá-la. Identificamos cinco medidas (e uma espécie de curinga) que surtiram efeito em guinadas e transformações bem-sucedidas.

MEDIDAS ESSENCIAIS PARA REFUNDAR A EMPRESA E REVERTER A QUEDA LIVRE

1. Montar uma equipe refundadora.
2. Focar no "*core* do *core*".
3. Redefinir a insurgência.
4. Recriar a empresa na linha de frente.
5. Investir pesado em uma nova capacidade.
6. Curinga: fechar o capital.

Vejamos, separadamente, cada uma delas.

Montar uma nova equipe refundadora

Quando examinamos 50 exemplos bem-documentados de empresas em queda livre que conseguiram reverter os resultados operacionais e ao mesmo tempo mudar a direção estratégica, descobrimos que em 43 deles a equipe de liderança mudou radicalmente, a começar pelo CEO. O caso da Schwab – na qual mais de 70% dos dois principais escalões da gestão foram trocados – é típico. Em oito dos exemplos, o fundador (ou a família fundadora) retomou o leme, como ocorreu na Schwab e na Apple.

Quando uma empresa está em queda livre, faz sentido trocar a equipe gestora. Primeiro, porque é preciso injetar energia nova em uma organização cansada e nervosa. De nada serve uma equipe de liderança desgastada ou sem disposição para a árdua tarefa da transformação. Segundo, porque é preciso povoar a equipe de liderança de gente que queira recriar o futuro, não defender o passado. Um executivo que entrevistamos, contratado em meio a uma transformação, contou que ao chegar à empresa "a frase mais ouvida era 'antes, era assim que fazíamos' ou 'não é assim que fazemos aqui'". Conhecer o passado é bom, mas defender o que deixou de funcionar é ruim. Recriar já é suficientemente difícil. Terceiro, à medida que a nova estratégia fica clara, talvez seja preciso buscar novos recursos e capacidades – embora aqui seja preciso cautela. É preciso contratar insurgentes com espírito rebelde – gente que um executivo descreveu como "ovelhas negras de 'blue chips'" – em vez de profissionais acostumados ao aparato e à estabilidade de grandes empresas. Esse momento de transformação também pode ser a hora de identificar os *franchise players* que conhecem a linha de frente em detalhe e adoram a empresa, ainda que não tenham sido promovidos aos postos mais visíveis de liderança na gestão anterior. Promovê-los é um grande sinal para a organização, uma fonte de conhecimento e energia e mais um lembrete de que, no futuro, mérito e mente aberta reinarão. E, quarto, não faz sentido esperar que os arquitetos da estratégia e das práticas operacionais que levaram à queda livre enxerguem não só seu erro, mas o caminho certo a seguir dali para frente. É preciso gente com mente aberta para inventar o futuro, e não defender o passado.

Por último, a mudança deve ser relativamente rápida. Quando uma equipe gestora vai sendo substituída aos poucos (algo tentador, pois parece minimizar distúrbios), duas coisas acontecem. A primeira delas é que se perde tempo – e, para poder reestruturar uma empresa, é preciso ter uma equipe já formada. A segunda é que o pessoal trazido de fora pode começar a assimilar velhos vícios organizacionais.

Focar no "*core* do *core*"

Reverter uma queda livre requer energia e recursos enormes. Na maioria dos casos bem-sucedidos de transformação, a liderança sabia disso e, portanto, vasculhou a empresa em busca de ativos marginais a desovar, divisões a vender, atividades a encerrar, departamentos a eliminar e linhas de produtos a simplificar. Se o mais escasso dos recursos é o tempo e a energia discricionária do pessoal mais eficaz, então essa é a hora de garantir que esse recurso esteja voltado à tarefa em mãos. Um líder nos contou que, ao chegar à empresa, a situação parecia à do Risk, o jogo de tabuleiro de conquista mundial. O que encontrou, disse, foi "uma série de exércitos em tudo quanto é lugar distante e poucas [tropas] concentradas em proteger e defender o próprio território". O executivo sabia o que tinha de fazer: "A primeira providência foi concentrar forças".

Uma empresa que conseguiu promover uma grande transformação do gênero foi a LEGO. Vejamos sua história.

A LEGO foi fundada em 1930 por Ole Kirk Kristiansen, que tratou de erguer um modelo de negócios repetível em torno de um sistema de pecinhas de plástico que se encaixam. Após sua morte, a empresa seguiu crescendo pela mão de seus sucessores, sempre com a fórmula repetível. Por muitas décadas nesse período pós-fundador, a empresa seguiu fiel a seu *core*. Em 1993, o faturamento chegou a US$ 1,3 bilhão e, em 2000, o sistema LEGO foi eleito o brinquedo do século 20 pela revista *Fortune* e pela British Association of Toy Retailers, a associação britânica de fabricantes de brinquedos.

Em 1993, no entanto, a empresa começou a tirar recursos da rentável operação de pecinhas de montar para investir numa leva impressionante de adjacências: parques temáticos, programas de TV, relógios, lojas, brinquedos de plástico sem os famosos bloquinhos, videogames e, em parceria com Steven Spielberg, até um "estúdio de cinema numa caixa". Todas essas empreitadas tiraram recursos do *core* – e praticamente todas afundaram. "O resultado", nos contou o atual CEO, Jørgen Vig Knudstorp, foi que "a empresa iniciou um período de dez anos de fracos resultados, no qual a margem de lucro foi de 15% em 1993 para 21% negativos em 2003. Nesse período, o valor do grupo LEGO caiu ao ritmo médio de € 300 mil por dia". A empresa estava em queda livre.

Quando assumiu a presidência, em 2004, Knudstorp avaliou todas as alternativas e rapidamente optou por um caminho. Para dar uma guinada na empresa e colocá-la numa trajetória melhor de crescimento a longo prazo, decidiu levar a LEGO de volta ao *core* e ajudá-la a redescobrir sua missão insurgente. Knudstorp montou uma nova equipe de gestão e, com sua ajuda, começou a eliminar tudo o que não fosse essencial, canalizando a energia de todos para reerguer a empresa a partir do produto que trouxera seu sucesso lá atrás: o sistema de pecinhas de montar. O pessoal apoiou a mudança. "Embora a LEGO estivesse numa espiral da morte, muitos funcionários saudaram a virada [promovida] pela liderança com grande alegria",[1] declarou sobre esse período o maior historiador da empresa, David Robertson.

E o que fez a equipe de liderança da LEGO para reverter a queda livre?

Para começar, a equipe foi lidar com a carteira de ativos. Vendeu parte da divisão de parques temáticos, a LEGOLAND, a uma firma de *private equity*, fechou todas as demais adjacências e suspendeu expansões planejadas nos setores de livros, relógios de plástico, bonecos LEGO e revistas, além da meta de mais três parques temáticos e outras 300 lojas, software, LEGO Movie Maker, jogos de computador e até mesmo programas de televisão.

Isso feito, a equipe cavou mais fundo para simplificar ainda mais. Descobriu, por exemplo, que o número de peças diferentes nos kits da LEGO tinha aumentado muito, de cerca de 6 mil em 1997 para mais de 14 mil em 2004. O total de cores aumentara de 6 para 50. E mais: 90% desses componentes únicos só eram usados uma vez. Logo, além de enxugar operações, projetos de pesquisa e linhas de brinquedos, a equipe fez cortes até na variedade de pecinhas, eliminando mais de 50% delas. Ao falar desse foco, Knudstorp nos disse: "Agora, só estamos investindo em produtos que usem peças repetíveis e que sigam fórmulas repetíveis".

A partir daí, a equipe da LEGO começou a criar regras para determinar quando daria para adicionar um novo produto ou componente. O custo de uma pecinha diferente é surpreendentemente alto, pois cada uma requer um molde distinto e ajustes no maquinário, e cada uma adiciona complexidade à produção e ao estoque no chão da fábrica. Hoje, 70% dos componentes de qualquer produto da LEGO vêm de um subconjunto de peças universais.

Chegou a vez, então, de a equipe da LEGO rejuvenescer a linha de produtos. A empresa inseriu tecnologia nos bloquinhos. Deu a qualquer um a capacidade de criar, on-line, seu próprio kit LEGO ou de encomendar pecinhas para montar estruturas criadas por outros. Analisou milhares dos fãs mais fervorosos da marca, cuja energia e conhecimento minucioso nunca tinham sido explorados para conferências, eventos de networking, subsídios para novos produtos e até a participação ativa na concepção de produtos. A empresa começou a crescer de novo com a incursão em adjacências intimamente ligadas à atividade principal: LEGO para meninas, licenciamento da marca para um filme LEGO, lançamento de uma nova série de bonequinhos e mais produtos em parceria, como a linha Star Wars.

Cada uma das cinco medidas que enumeramos lá atrás ajudou a reverter a queda livre da LEGO. A empresa trocou a equipe gestora. Simplificou as operações em vários planos. Redefiniu a estratégia de crescimento em torno do sistema de pecinhas e da comunidade de usuários. No plano interno, a empresa retomou os princípios originais, já adaptados a um cenário contemporâneo. Criadores e gente crucial da linha de frente voltaram a ser os heróis da casa. E a empresa adquiriu novas capacidades, sobretudo no universo digital. Certas medidas de caráter interno reforçaram ainda mais a abordagem do "back-to-basics" – caso da venda da sede da empresa, que se mudou para um edifício modesto que também abriga as operações de embalagem. A LEGO se aplicou vigorosamente em cada etapa, com resultados espetaculares. Desde que Knudstorp assumiu, o faturamento subiu 400% e a margem de lucro operacional negativa de 21% passou a ser positiva, de 34%.

Essa abordagem – encolher para crescer – foi adotada com sucesso por uma série de empresas em queda livre. Foi o caso da transformação da IBM sob Lou Gerstner, que se desfez de uma leva de operações de hardware (como PCs) e remanejou a energia da empresa para serviços e software. Foi o caso da guinada promovida por Steve Jobs na Apple: pouco depois de reassumir a presidência, Jobs concentrou as operações em quatro grandes produtos e um punhado de projetos de desenvolvimento. E também foi o caso na Schwab, que se desfez de vários negócios de peso, incluindo a U.S. Trust, e reduziu consideravelmente o número de segmentos de clientes que a força de vendas vinha trabalhando separadamente. Em cada caso, a abordagem foi a mesma: eliminar primeiro a complexidade para depois voltar ao *core* do *core*.

Redefinir a insurgência

Para reverter a queda livre é preciso mais do que reduzir a complexidade, montar uma equipe nova com energia e a mentalidade certa e liberar recursos para bancar a transformação. A certa altura, é preciso provar que há um lugar "além do horizonte" que justifique o esforço. Já vimos muita empresa em situação tão calamitosa ou em uma sinuca tão grande, que o esforço simplesmente não compensava. Para renovar a energia insurgente no plano interno, a nova equipe terá de provar que no plano externo a luta vale a pena.

Vejamos o caso de uma empresa em queda livre na qual essa era a questão fundamental – questão que, uma vez resolvida, viabilizou todo o resto. De novo, vamos dar um exemplo de bastante tempo atrás para ver como tudo transcorreu do princípio ao fim. Sempre lembrando que a maioria das campanhas de reversão de queda livre costuma levar de quatro a seis anos, pelo escopo abrangente.

Em 1994, quando a penetração do telefone celular no mercado americano não passava de 9% (acredite ou não), um empreendedor do Texas chamado Ted Miller teve uma ideia genial. Miller sabia que empresas de telecomunicações tinham iniciado uma corrida caríssima para erguer redes de torres de transmissão de telefonia celular mundo afora, e viu que não fazia sentido cada uma se lançar à empreitada de forma isolada – assim como não teria feito sentido que lá atrás, quando surgiu o automóvel, cada fabricante de carros tivesse construído sua própria malha de estradas. Miller enxergou uma oportunidade: um empresário sagaz poderia erguer um negócio de bastante sucesso com base na compra e no aluguel de torres. Resolveu apostar na ideia. Nascia ali a Crown Castle.

Miller começou comprando um pacote de 133 torres no sudoeste do Texas. Em 1995, entrou em uma relação de investimento com as firmas de *private equity* Berkshire Partners e Centennial Funds para poder comprar o máximo possível de imóveis enquanto o setor ainda engatinhava. A empresa executou o plano de forma brilhante, comprando torres no mundo todo e lançando rapidamente uma campanha de aquisição em mais de 15 países diferentes. Era a história de sucesso de uma insurgente: quando Miller abriu o capital da empresa, em 1998, cada ação valia US$ 13; em 2000, o valor subira para US$ 42 por ação.

Foi então que a empresa perdeu embalo. Investidores começaram a esmiuçar o modelo de crescimento e não gostaram do que viram: o nível de endividamento, o interminável fluxo de caixa negativo, a meta incerta da estratégia de compra de terrenos. Com a confiança do público na empresa evaporando, a cotação das ações caiu para US$ 1, derrubando seu valor de mercado para menos de US$ 300 milhões. Miller deixou a presidência e, pouco tempo depois, saiu da empresa. Funcionários que não tinham para onde ir temiam pelo emprego, por suas economias e pelo rumo a seguir.

Em julho de 2001, John Kelly entrou em cena como o novo CEO e promoveu uma notável guinada. Numa conversa bem franca, contou como ajudou a empresa a se adaptar e a retomar sua missão insurgente.

"A primeira coisa que tivemos de fazer foi criar uma visão comum do nosso *core*, do nosso propósito e do jeito certo de fazer a empresa crescer", contou. "Concluímos que ela não era um negócio de torres mundial, mas regional, e que tínhamos de nos concentrar onde fosse possível erguer sistemas e serviços para clientes de modo a otimizar os resultados de cada torre. Inicialmente, saímos de dez países e, pouco depois, encerramos as operações em outros dois. Nosso foco era cultivar três mercados cruciais nos quais poderíamos criar densidade regional e conquistar poder de mercado ao virar a melhor fornecedora para clientes que tomavam decisões sobre torres naquela instância. O modelo errado de expansão nos fizera assumir riscos desmedidos lá fora e a subinvestir, aqui dentro, em sistemas que nos permitiriam crescer de forma rentável".

Com a criação desses sistemas, Kelly e a equipe passaram à vanguarda do setor. "Criamos organizações regionais para tirar mais partido de nosso pessoal em campo [junto] a clientes que tomavam decisões sobre redes no plano local", disse. "Desenvolvemos modelos sofisticados da matemática de torres e bancos de dados detalhados de características de torres para gerenciar cada local. Fizemos reuniões e sessões de treinamento com todos os funcionários para que pudessem entender que os motores do sucesso estavam na densidade regional da rede e na profunda tarimba técnica enxergada por nossos clientes, e que queríamos crescer a partir dessa plataforma. Recriamos totalmente a empresa, dentro e fora."

Redefinir a missão insurgente em torno do serviço ao cliente e da liderança em redes regionais densas (em vez de priorizar aquisições e sair comprando torres em tudo quanto é lugar do mundo) produziu mudanças enormes e imediatas. A empresa se desfez de torres e operações no exterior. Teve de criar novos sistemas internos. Redefiniu a agenda de aquisições em torno da densidade local. E buscou contratar gente capaz de entender – e de vender para – clientes de telecomunicações. Se a missão redefinida não tivesse sido explicitada e compreendida por funcionários cruciais já no primeiro ano, a queda livre provavelmente não teria sido contida a tempo. Isso afetou tudo, inclusive a sensação de esperança e a energia dos responsáveis pela execução.

Os resultados foram impressionantes. Em pouco mais de uma década, o total de torres da Crown Castle cresceu de 7 mil para mais de 40 mil, fazendo da empresa a maior operadora americana de infraestrutura compartilhada de redes sem fio. Já seu valor de mercado saltou de cerca de US$ 250 milhões para mais de US$ 25 bilhões.

A insurgência redefinida da Crown Castle foi baseada no mesmo fenômeno de mercado que inspirou a insurgência original: a união de torres em redes regionais e, em última instância, globais. Já seu foco, as competências necessárias e os principais motores do lucro mudaram drasticamente. Ao acrescentar novos recursos, a empresa mudou o modelo de negócios e, na prática, se reinventou em pleno voo.

Essa abordagem, descobrimos, responde por cerca de um quarto dos casos bem-sucedidos de reversão da queda livre que estudamos. Mas há outros meios, obviamente. A Apple redefiniu radicalmente a insurgência e a vantagem de mercado da empresa num momento em que as fronteiras do setor se dissolviam e precisou adquirir ou desenvolver habilidades para triunfar em toda a gama de mercados recém-conectados. A capacidade de cultivar uma série de recursos de alto impacto dentro da empresa (como a gestão de conteúdo digital on-line e uma nova abordagem no varejo) e também fora dela (uma rede de mais de 300 mil desenvolvedores de aplicativos, por exemplo) teve papel fundamental na transformação da Apple. Esses recursos permitiram à empresa reparar e diferenciar seu *core* e avançar para novas adjacências, uma atrás da outra (do iPod ao iPad, deste ao iPhone, do qual, por sua vez, ao Apple Watch), sempre em busca de novo crescimento.

Há uma outra abordagem, bem mais fundamental: certas empresas agem de forma implacável para reforçar a insurgência e a missão central do passado. A DaVita, uma rede de centros de diálise que entrou em queda livre mas conseguiu reverter o processo e virar a empresa de saúde de melhor desempenho na década passada, é um bom exemplo. Contaremos sua história na próxima seção.

E há, por último, uma abordagem que podemos chamar de "big-bang", que significa transformar uma empresa com a incursão num mercado novo, efervescente. É uma proeza rara. A Marvel Entertainment conseguiu: de falida editora de quadrinhos, virou uma produtora de cinema altamente rentável, pela qual a The Walt Disney Company pagou US$ 4 bilhões.

Refundar a empresa da porta para dentro

Uma premissa central deste livro é que a maioria dos problemas de desempenho vividos por uma empresa no mercado teria uma causa mais fundamental em seu interior. É uma premissa importante no caso da queda livre, pois a dinâmica no plano externo em geral é tão forte, que é fácil parar por aí. A queda livre da Nokia, por exemplo, pode ser atribuída a muitas forças externas, entre elas a estratégia competitiva da Apple, os problemas que a Nokia teve com o Symbion (seu sistema operacional para celular) ou o número reduzido de criadores de aplicativos para esse sistema. Mas a verdadeira razão da maioria dos problemas externos da empresa provou ser interna.

Um dos casos mais incríveis de empresa que passou por uma refundação interna para reverter o *stall-out* no plano externo é o da

Total Renal Care. Kent Thiry e sua equipe interromperam a queda livre da empresa e a reinventaram como a DaVita.

Quando Thiry assumiu a presidência, em 1999, a Total Renal Care caminhava para um abismo. Formada por 460 centros de diálise, vinha dando prejuízo de mais US$ 60 milhões por ano, era alvo de um inquérito do governo americano, corria o risco de não ter como pagar o salário dos 9 mil funcionários e estava sendo processada por acionistas. Resultados clínicos eram ruins na comparação com os padrões do setor. Já a taxa de rotatividade do pessoal – que vivia sobrecarregado, se sentia desvalorizado e não enxergava um futuro promissor à frente – batia em 40% ao ano. Esse estado de crise se refletia na cotação das ações da empresa, que caíra 95%, de US$ 23 para US$ 1,71 por ação. É difícil imaginar uma queda livre mais desnorteante para o pessoal dentro da empresa.

Thiry partiu imediatamente para o ataque, em várias frentes ao mesmo tempo. Trocou a maior parte da equipe gestora, cortou custos para evitar a falência, reduziu a enorme variação em práticas de um centro para outro para simplificar as operações (ao chegar, nos disse, achou uma empresa com 460 centros que operavam de 460 maneiras distintas) e reinstituiu melhores práticas de atendimento a clientes – coisas necessárias simplesmente para estabilizar a empresa e muni-la de recursos para tornar a guinada possível. Outra medida crucial, no entanto, foi mergulhar num programa que duraria anos e que, basicamente, refundaria a empresa a partir de dentro.

Para reforçar a ideia de que todo mundo ali dentro tinha um papel no resgate e no renascimento da empresa, Thiry começou a falar da Total Renal Care como uma aldeia. Aboliu o uso de cargos formais internamente (embora ainda fossem necessários externamente) e passou a se referir a si próprio como o prefeito, não o CEO. Fez assembleias com o pessoal dos centros e instituiu uma teleconferência bimestral (a "voice-of-the-village") da qual normalmente participavam 4 mil funcionários de escritórios e clínicas da empresa em todo o país. Pediu aos funcionários (que são chamados de colegas de equipe) que pensassem num novo nome para a empresa e codificassem seus valores, exercício que levou sete meses e resultou na marca DaVita (que em italiano significa aquele que "dá a vida") e em sete valores básicos, entre eles "um por todos e todos por um", "melhoramento contínuo" e "excelência em serviços".

Esses valores centrais viraram um elemento crucial do plano de transformação de Thiry. O executivo e a equipe instituíram indicadores em todos os centros para medir não só o desempenho no atendimento a pacientes, mas também o grau de adesão dos funcionários aos valores da empresa. A remuneração foi atrelada a esses resultados, que eram públicos. Começaram a registrar, divulgar e premiar financeiramente "momentos DaVita" de heroísmo entre o pessoal da linha de frente. Candidatos a vagas passaram a ser avaliados de acordo com o alinhamento com os valores centrais. A empresa incluiu até pacientes no processo, pedindo que elegessem os funcionários que tinham prestado o melhor atendimento para que a empresa pudesse recompensá-los devidamente.

Juntas, essas mudanças tiveram dois efeitos imediatos e importantes, segundo Thiry. Primeiro, ajudaram a criar um forte senso de missão comum empresa afora; e, segundo, achataram constantemente a organização, aproximando a linha de frente da alta gerência. Além disso, à medida que criavam um modelo mais repetível nos centros, Thiry e a equipe foram conseguindo conferir cada vez mais poder de decisão a escalões inferiores da organização, fazendo a linha de frente se sentir mais empoderada e energizada. Thiry percebeu que a alta gerência precisava ser parte desse processo e, por isso, fez questão que todo gerente passasse uma semana por ano trabalhando em um dos centros de diálise.

A primeira vez que escrevemos sobre a DaVita, em 2010, a empresa acabava de fechar um período espetacular de 11 anos durante o qual se convertera na ação de melhor desempenho do índice Standard & Poor's 500, multiplicando por 29 o capital de investidores. Do início da guinada a 2010, o faturamento da empresa subiu de US$ 1,3 bilhão para US$ 6,2 bilhões; já o resultado operacional foi de um gigantesco prejuízo para um lucro de US$ 1 bilhão. O crescimento segue em ritmo acelerado. No final de 2014, a receita da DaVita voltara a dobrar, para US$ 12,8 bilhões. Já a cotação dos papéis subira de US$ 30 por ação em 2010 para US$ 84 em 2015 (veja a figura 5-3).

FIGURA 5-3

Desempenho da DaVita após a refundação

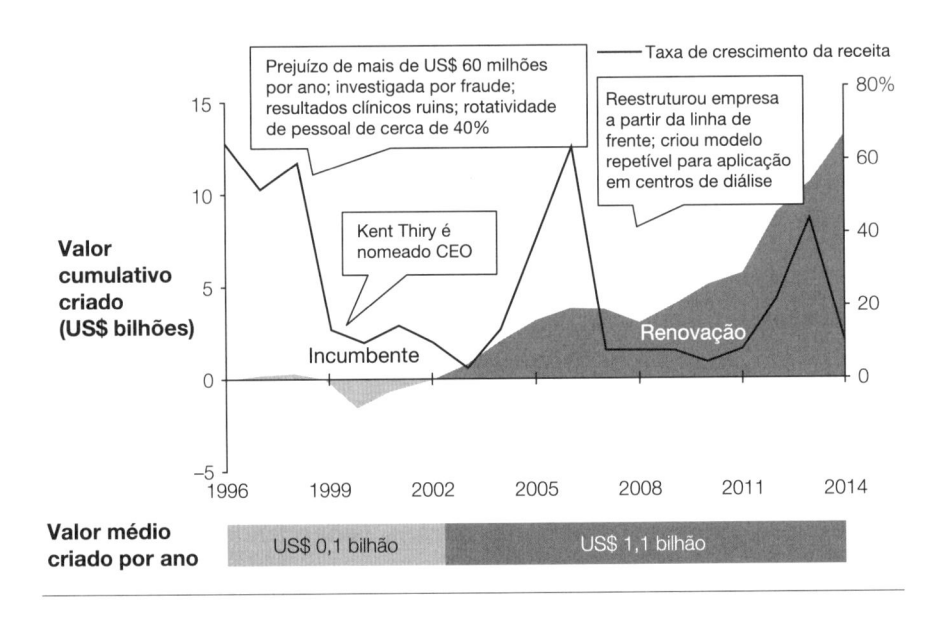

Prejuízo de mais de US$ 60 milhões por ano; investigada por fraude; resultados clínicos ruins; rotatividade de pessoal de cerca de 40%

Kent Thiry é nomeado CEO

Reestruturou empresa a partir da linha de frente; criou modelo repetível para aplicação em centros de diálise

Taxa de crescimento da receita

Valor cumulativo criado (US$ bilhões)

Incumbente — Renovação

Valor médio criado por ano: US$ 0,1 bilhão | US$ 1,1 bilhão

Thiry obviamente utilizou uma série de estratégias distintas para orquestrar o renascimento da DaVita. Todos os envolvidos dirão, no entanto, que a transformação interna de valores, princípios, energia e comportamentos promovida pelo executivo foi a principal razão para o ressurgimento. Quem circula hoje em dia pela nova sede da DaVita em Denver, no Colorado, encontra por toda parte a iconografia dessa cultura: os sete valores da empresa, fotos dos centros de diálise e do pessoal, frases e dizeres que adquiriram importância durante a recuperação, depoimentos de pacientes louvando o trabalho da DaVita e histórias exemplares de indivíduos na linha de frente. De tudo isso, surge uma mensagem forte e clara: mesmo quando a situação de uma empresa parece horrível, reerguê-la ainda pode ser possível. Para isso, no entanto, é preciso ir com tudo. É preciso refundar a empresa. Sem hesitar.

INVESTIR PESADO EM UMA CAPACIDADE CENTRAL

Embora tenham muito a consertar, empresas em queda livre raramente contam com todas as ferramentas necessárias. É comum descobrirem que carecem de ao menos um recurso crucial para adaptar o modelo de negócios às novas condições.

Quase todos os 50 casos de reversão bem-sucedida de queda livre que estudamos exigiram pelo menos uma grande capacidade nova. Steve Jobs, por exemplo, não teria conseguido renovar a Apple se a empresa não tivesse adquirido capacidades de gestão de direitos digitais e de varejo, tanto on-line como off-line. Lou Gerstner não teria conseguido renovar a IBM sem adquirir novas capacidades em software, consultoria e serviços de TI. John Kelly não teria conseguido renovar a Crown Castle se a empresa não tivesse buscado um nível superior de capacidades técnicas de vendas e serviços voltados a empresas de telecomunicações. Reed Hastings não teria conseguido renovar a Netflix se a empresa não tivesse desenvolvido os melhores recursos digitais de streaming do setor e, por meio de parcerias, adquirido a capacidade de produzir conteúdo próprio, como a premiada série *House of Cards*.

Muito já se escreveu sobre a derrocada da Kodak, que um dia foi a líder mundial da indústria fotográfica: sobre como problemas internos atrapalharam sua migração para o digital e como o grande *profit pool* da fotografia analógica, que a Kodak dominava (a certa altura, respondia por 90% das vendas de filmes fotográficos e 85% das de câmeras nos EUA), incentivou a empresa a lutar contra o futuro em vez de reinventá-lo.

Mas teve empresa no mercado fotográfico que conseguiu migrar e evitar – ou reverter – a queda livre. A Fujifilm foi uma delas. Segunda do mundo no mercado de filmes fotográficos, a empresa buscou novas capacidades, migrou com tudo para a fotografia digital, fez uma reestruturação para reduzir custos e complexidade e hoje vai muito bem. Além disso, investiu US$ 4 bilhões para adaptar sua tecnologia para a produção de filmes ópticos para telas de LCD.

No mundo da fotografia, a Leica é um exemplo ainda mais claro de como a aposta em novos recursos pode ajudar uma empresa a reverter a queda livre. A Leica foi inventada por Oskar Barnack, um engenheiro que trabalhava para a fabricante de lentes Leitz. Barnack conseguiu criar uma câmera compacta – a primeira – cuja característica mais marcante era a qualidade da lente, o que permitia que imagens pequenas fossem ampliadas sem grande perda da resolução. A qualidade das imagens registradas com a Leica fez da câmera a preferida dos grandes fotógrafos do século passado, incluindo Robert Capa, o fotógrafo de guerra que registrou o desembarque das tropas aliadas no "Dia D", e Henri Cartier-Bresson, que ficou fascinado com a nova câmera e as incríveis imagens que produzia ("A Leica é como um beijo apaixonado, como um tiro de revólver, como o divã do psicanalista", disse).

Isso posto, a empresa demorou a apostar na fotografia digital. Inventora do foco automático, nunca tinha explorado o recurso em suas câmeras, que só começaram a incorporar a tecnologia digital em 2006. Os problemas da empresa foram agravados pelo declínio do comércio tradicional de equipamentos fotográficos e a ascensão da internet e de lojas barateiras de máquinas. Por trabalhar com câmeras na ponta mais cara do mercado e não ter se adaptado a essas mudanças, a Leica teve prejuízo ao longo da década de 1990. Entre 2005 e 2007, o faturamento caiu de € 144 milhões para € 90 milhões e a empresa perdeu de € 10 milhões a € 20 milhões por ano, o que dificultou o investimento nas novas capacidades de que precisava para competir. A Leica tinha entrado em queda livre.

Entra em cena Andreas Kaufmann, o investidor austríaco que adquiriu o controle da Leica em 2006 e acreditava que a empresa tinha um patrimônio singular que podia ser aproveitado para se reerguer: a marca, a qualidade incomparável das imagens que produzia, sua história com grandes fotógrafos, a qualidade das lentes. Kaufmann promoveu a reestruturação da empresa com foco na ponta mais sofisticada do mercado. Em 2011, a firma de *private equity* Blackstone investiu € 160 milhões na empresa. Esse capital, aliado ao sonho de Kaufmann de renovar a Leica, permitiu à empresa adquirir recursos novos indispensáveis para a renovação da linha de produtos (foco automático, uma versão digital da linha M de câmeras) e de canais de distribuição (lojas da marca). Hoje, o faturamento é o triplo do registrado no pior momento da empresa e a Leica voltou a dar um lucro sólido. Com o mercado de máquinas fotográficas tradicionais atacado por câmeras de smartphones, o futuro ainda é incerto. Por ora, no entanto, um dos grandes nomes da fotografia reverteu o *stall-out* e voltou como o porta-estandarte da qualidade da imagem – bem a tempo do aniversário de 100 anos da empresa.

Uma equipe de liderança às voltas com uma queda livre em geral já está no limite. Numa situação dessas, é difícil pensar em buscar novas capacidades. Se não fizer isso, no entanto, todas as demais medidas para resgatar a empresa da queda livre podem ser em vão.

Para líderes, é um desafio especial. Voltaremos a esse assunto – o papel do líder na aquisição de capacidades – no próximo capítulo.

CURINGA: FECHAR O CAPITAL DA EMPRESA

Mudar a composição societária para evitar a queda livre é a saída que uma minoria crescente de empresas vem escolhendo – um processo viabilizado pelo forte crescimento de firmas de *private equity* nas últimas décadas. Fechar o capital pode fazer a empresa ganhar tempo, liberar recursos para atrair talentos e reduzir distrações externas para se concentrar na difícil tarefa interna à sua frente.

Deu certo para o braço de semicondutores da Philips, que operava no vermelho e cujas raízes remontavam à Fairchild Semiconductor, a mais antiga das empresas de tecnologia do Vale do Silício. Em 2006, a divisão foi vendida a um consórcio de investidores de *private equity* que incluía a KKR e a Bain Capital, que prontamente batizaram a empresa de NXP, um jeito de abreviar o mote "próxima experiência" em inglês.

E sem dúvida foi. No momento da venda, o setor estava derrapando, o faturamento vinha em queda e a margem de lucro era de 12% negativos – com a perspectiva de cair para até 40% negativos. A empresa estava em queda livre.

Nos cinco anos subsequentes, no entanto, a NXP viveu uma completa transformação em praticamente todas as nossas seis dimensões, o que incluiu passar para mãos privadas durante o período de renovação. A NXP trocou boa parte da equipe de gestão, incluindo o CEO. Simplificou a carteira de negócios e produtos e delimitou bem mais o *core business*. Desfez-se de vários negócios, o que ajudou a empresa a encolher de cerca de US$ 6 bilhões em receitas em 2006 para US$ 3,8 bilhões em 2009. A organização como um todo foi radicalmente simplificada. A empresa eliminou camadas de gestão e pessoal, enxugando em 25% a base total de custos, e traçou uma estratégia mais focada para reaver sua posição no mercado mundial no mais emblemático dos segmentos de produtos de alto desempenho nos quais atuava: componentes eletrônicos *mixed-signal*.

Foi um grande sucesso. Desde a reabertura do capital, com um IPO em 2010, o faturamento da NXP aumentou 30%, o lucro operacional já passou de US$ 1 bilhão e a empresa iniciou uma fusão que vai fazer seu porte dobrar. Nos cinco anos desde o IPO, a cotação das ações da NXP já se multiplicou por dez.

Quando fomos falar com um executivo graduado da NXP sobre essa espetacular virada, ele frisou que nada disso teria acontecido se a empresa tivesse seguido como uma operação marginal perdida num gigantesco conglomerado de capital aberto às voltas com seus próprios problemas de identidade e de desempenho. Ademais, o controle privado permitiu que a empresa se transformasse longe da vista de analistas do mercado acionário e que trabalhasse com um prazo de quatro anos – em vez de pensar em resultados trimestrais. Essa perspectiva de longo prazo está no cerne da mentalidade do fundador.

É algo que ouvimos cada vez mais. Empresas em queda livre estão recorrendo a investidores privados em busca de um refúgio temporário para reestruturar as operações em meio a uma queda livre ou para restituir a mentalidade do fundador para o longo prazo. É o que fez Michael Dell recentemente, numa das maiores operações de fechamento de capital da história. Embora não estivesse em queda livre, a Dell enfrentava um *stall-out* e tinha de promover muitas mudanças, interna e externamente, dada a rápida e disruptiva transformação do mercado de PCs.

A história inicial da Dell é impressionante e, com razão, famosa. Ao longo da história, poucas empresas cresceram de forma tão rápida e tão rentável. Fundada em 1984 no quarto que Michael Dell ocupava no alojamento da universidade, a Dell estabeleceu o recorde mundial de velocidade de crescimento nos primeiros 20 anos de vida – um ritmo oito vezes maior do que o da Walmart e quatro vezes maior do que o da Microsoft. Na década de 1990, um período de verdadeiro hipercrescimento (durante o qual passou com louvor pelo *overload*, sem um soluço sequer), o retorno anual da Dell aos acionistas chegou a espetaculares 95%, com o lucro crescendo 63% ao ano no período. No cerne da empresa estava o "modelo direto" de venda de computadores, que dispensava varejistas e tinha um ciclo de conversão de caixa negativo (ou seja, a empresa recebia pelos aparelhos antes de pagar por todos os componentes). À época, o modelo tinha a vantagem de garantir intimidade com o cliente (que fazia o pedido diretamente à empresa) e baixo custo (a empresa tinha uma vantagem de custos de cerca de 15% em microcomputadores na comparação com rivais como Compaq e Hewlett-Packard).

Quando a Dell entrou na terceira década de vida, contudo, uma série de desdobramentos contribuiu para derrubar a taxa de crescimento anual. De 1992 a 1999, o crescimento subira ao incrível ritmo de 54% ao ano; de 1999 a 2006, caiu para 17% ao ano; no período de 2006 a 2013, o *stall-out* era iminente: o crescimento anual naqueles sete anos foi de apenas 2%. Muita coisa aconteceu à época para trazer de volta ao chão a empresa que voara alto como nenhuma outra. Sob uma gestão nova, profissional, o foco era cada vez mais reduzir custos, não investir no cliente. Com isso, o Net Promoter Score da Dell caiu do melhor para o pior do setor. Novos produtos tampouco eram tão interessantes quanto os lançados na fase de crescimento, quando Michael Dell era o CEO. Para piorar, a vantagem de custo do modelo direto vinha caindo. O resultado de tudo isso foi o iminente *stall-out*, sinalizado por uma perda de 74% no valor de mercado, que caiu de US$ 94 bilhões em 1999 para apenas US$ 26 bilhões em 2013.

Qual foi o problema? "Desviamos o olhar do cliente", nos disse Michael Dell recentemente. Como uma grande empresa de capital aberto, a Dell deixara cada vez mais de investir nesse cliente. Em vez disso, dedicava seus recursos à redução de custos e a atingir *benchmarks* anuais ditados pelo mercado. Em 2014, depois da tentativa infrutífera de recuperar a empresa com medidas incrementais, Dell decidiu adotar uma saída radical: fechar o capital da empresa em parceria com o fundo de investimentos Silver Lake.

Foi uma decisão inspirada. "Ao fechar o capital, é incrível como fomos capazes de acelerar as coisas dentro da empresa", contou. "Simplificamos estruturas de reunião, montamos um conselho de administração com só três membros e aumentamos o apetite por riscos. Quando um comitê grande fala de risco, a conversa é sobre comitês de risco, sobre como o risco é ruim, sobre procedimentos de mitigação de riscos, sobre a reação de analistas. Para nós, no entanto, o risco hoje tem a ver com inovação e sucesso. Foi muito energizante para nossos 100 mil funcionários sentir o foco no longo prazo voltando à empresa".

A Dell recuperou a cabeça de dono e seu desempenho já melhorou. Os índices de satisfação do cliente voltaram a subir e a satisfação do pessoal está nos níveis mais altos da história da empresa. Seu *core business* voltou a crescer mais depressa do que o resto do setor e a Dell está investindo pesado para redefinir o modelo para o longo prazo. "Nosso foco mudou", disse o empresário. "Do resultado no trimestre, para o fluxo de caixa, do curto prazo para o longo prazo, e para o investimento pesado em novas capacidades. Isso levou todos nós a pensarmos no negócio de forma totalmente distinta".

Há pouco, pedimos a Michael Dell que refletisse sobre essa cartada ousada. "Estamos numa atividade do tipo 'ou muda, ou morre', que precisa evoluir continuamente", disse. "Para tanto, vimos que precisávamos adquirir uma série de recursos importantes para o longo prazo, bem como investir pesado no serviço ao cliente. Foi o que tentamos de 2007 a 2013, incluindo aí uma série de aquisições – mas o mercado não teve suficiente paciência. Diziam: 'É só dar mais dividendos e recomprar ações'. Esse ciclo é deprimente para qualquer um. Estávamos gastando quase US$ 2 bilhões ao ano em dividendos, despesas com juros e recompra de ações. Decidimos que era hora de fazer algo diferente e mudar os horizontes, fechar o capital. Hoje, nosso horizonte não é trimestral, mas de três, cinco e dez anos, considerando nossas três prioridades: capacidade de vendas, novos produtos e recursos". Com efeito, no momento em que redigíamos essas linhas, a Dell acabava de anunciar a terceira maior aquisição da história no setor de tecnologia: a compra da líder em armazenamento de dados EMC, por US$ 65 bilhões.

Fechar o capital não é para todos, obviamente, mas um volume crescente de evidências sugere que o retorno é maior em mãos privadas do que públicas. Acreditamos firmemente que a principal razão é o poder dos três elementos da cabeça de dono: o viés para tomar decisões com rapidez e correr riscos, um senso mais profundo de prestação de contas e o foco no fluxo de caixa. Os resultados iniciais da Dell vêm se somar a essas evidências.

Na queda livre, nada é fácil. Mas o momento pode ser uma verdadeira oportunidade. Como dissemos lá atrás, descobrimos que algumas das maiores variações positivas em valor podem ocorrer à medida que a empresa sai da queda livre, recupera a mentalidade do fundador e volta a trilhar o caminho da insurgência com escala. Às vezes, o material mais resistente é forjado na mais adversa das situações.

No próximo capítulo, vamos dar conselhos específicos para o líder que tenta fazer a empresa crescer e se tornar uma "insurgente com escala" – ou seja, uma empresa que seguiu crescendo de forma rentável ao ganhar escala e conseguiu preservar as vantagens da mentalidade do fundador.

COMO USAR A FOUNDER'S MENTALITY EM SUA ORGANIZAÇÃO

✓ Tome medidas imediatas para garantir que sua empresa possa sobreviver à turbulência no setor e reagir a novas insurgentes. Isso inclui:

- Explicar ao pessoal por que é preciso mudar. Seu modelo de negócios está ficando obsoleto, ainda que parcialmente? Se a resposta for sim, seu grande foco no momento deve ser reinventá-lo.
- Diminuir radicalmente a complexidade para liberar recursos e aumentar o foco, ainda que isso signifique reduzir as operações ao "*core* do *core*". É preciso mostrar como medidas para reduzir custos e complexidade geram fundos para investir no crescimento.
- Envolver os melhores *franchise players* da nova geração de talentos da empresa na busca de mudanças que tornem o *core business* competitivo. Peça que assumam o compromisso pessoal de ficar e executar essa visão.
- Montar uma equipe especial de líderes dedicada em tempo integral à gestão do *turnaround* e à transformação do modelo de negócios.
- Garantir que 50% das discussões de gestão tenham como foco o investimento em recursos para a empresa crescer a longo prazo.

✓ Considere o papel de investidores de *private equity* ou fechar o capital.

CAPÍTULO 6

UM PLANO DE AÇÃO PARA LÍDERES

COMO INFUNDIR A FOUNDER'S MENTALITY EM TODOS OS NÍVEIS DA ORGANIZAÇÃO

Voltamos a nossa premissa inicial. Para vencer reiteradamente no plano externo, a empresa precisa estar configurada para vencer também no interno. E a melhor maneira de garantir que esteja é abraçar a mentalidade do fundador.

Essa é a função do líder, como tentamos deixar claro ao longo do livro. Quando falamos em "líder", no entanto, não queremos dizer apenas o CEO – mas todo e qualquer líder. Imagine o poder de uma organização na qual líderes em todas as esferas abraçam a mentalidade do fundador. Uma empresa de insurgentes é uma coisa formidável. É o que Michael Dell tinha em mente quando, ao falar da renovação da Dell, declarou: "Quero criar as condições [para ter] a maior start-up do mundo".

Este último capítulo traz lições para líderes de todos os escalões de uma organização – lições práticas sobre como superar crises previsíveis de crescimento e como entrar em ação já na segunda-feira, logo cedo.

Nessa discussão, somos guiados por convicções muito fortes.

A primeira é que *liderança se aprende*. Pode ser ensinada, medida, praticada e melhorada.

A segunda é que *liderança não é só para o CEO*. As empresas mais capazes de preservar a mentalidade do fundador agem como se tivessem um exército de líderes – e não um só. Para o presidente dessas empresas, liderar é tornar o pessoal melhor – como fez George Buckley com os líderes de engenharia na 3M, como fez John Donahoe ao intensificar a cultura empreendedora na eBay e como fez Carlos Brito na AB InBev ao dar a gente jovem e ambiciosa metas ousadas e muita liberdade de ação.

A terceira convicção é que *a mentalidade do fundador não é apenas um luxo para empresas que já venceram e agora querem dar mais atenção a sua gente*. É bem o contrário. Empresas que alienam o pessoal tanto no plano racional como no emocional, independentemente do porte ou do setor em que atuam, vão acabar desbancadas por alguma insurgente. Sem a mentalidade do fundador, uma incumbente fica burocrática e cada vez mais vulnerável a perder para insurgentes, que estão ganhando escala e se adaptando mais depressa do que nunca.

Por último, *atributos de insurgentes com escala são relevantes para todo e qualquer líder*. Como frisamos ao longo de todo o livro, a insurgência com escala deveria ser a meta de toda empresa que deseja crescer de forma sustentável e rentável (veja a figura 6-1). Insurgentes com escala conquistam vantagem ao adquirir um grande porte (economias de escala, poder de mercado e aprendizagem maior) e ao preservar os traços da mentalidade do fundador (insurgência, obsessão com a linha de frente, cabeça de dono). E essa vantagem é de tremenda importância: de cada três empresas que crescem de forma sustentada e rentável por mais de uma década, cerca de duas são insurgentes com escala. Além disso, essas empresas dominam o ranking das "preferidas" pelos melhores talentos de seu respectivo setor.

FIGURA 6-1

Insurgência com escala como objetivo para líderes

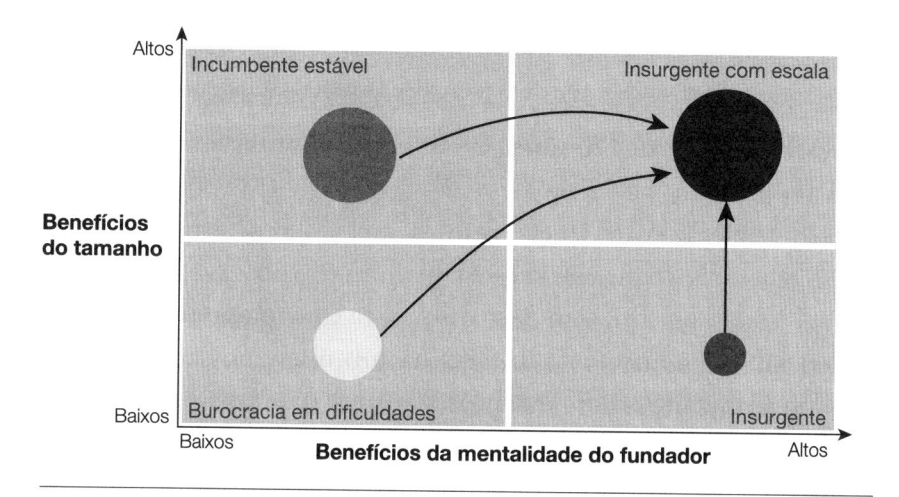

[Matriz 2x2 — Eixo Y: Benefícios do tamanho (Baixos/Altos); Eixo X: Benefícios da mentalidade do fundador (Baixos/Altos). Quadrantes: Incumbente estável (superior esquerdo), Insurgente com escala (superior direito), Burocracia em dificuldades (inferior esquerdo), Insurgente (inferior direito). Setas indicam movimento em direção a "Insurgente com escala".]

Este livro está repleto de exemplos de empresas renovadas por líderes que enxergaram um potencial que seus antecessores não souberam aproveitar, e que usaram o poder da mentalidade do fundador para atingi-lo:

- Kent Thiry e equipe transformaram a DaVita de um negócio decadente e à beira da falência na empresa de melhor desempenho do setor de saúde nos EUA.
- Jørgen Vig Knudstorp conduziu o grupo LEGO de volta ao *core*, transformando a empresa com novas tecnologias e novas ideias e forjando, no processo, uma intimidade maior com o consumidor.
- Os investidores da NXP compraram uma empresa deixada à míngua pela dona anterior e promoveram uma recuperação radical, simplificando as operações.

- Movidos pela força de uma ideia, os fundadores da AB InBev transformaram uma cervejaria brasileira que não dava lucro em uma das grandes insurgentes com escala da atualidade.
- E Steve Jobs, naturalmente, viu potencial na Apple quando ninguém mais via, e fez dela a empresa mais valiosa do mundo.

Essas equipes de liderança correriam a apontar lances fortuitos que as ajudaram no caminho rumo à insurgência com escala. Mas não foi sorte apenas. Todas, sem exceção, acreditavam piamente que havia mais potencial do que a maioria dos observadores enxergava. E todas agiram, sem descanso, para tirar pleno partido desse potencial. Foi como Brito, o CEO da AB InBev, nos disse: "Nunca estamos satisfeitos onde estamos. Sempre achamos que podemos fazer mais."

Nossos livros anteriores sobre estratégia sempre tiveram como ponto de partida a exploração desse potencial pleno: o potencial pleno do *core* (*Lucro a partir do core business*) o potencial pleno de adjacências (*Além das fronteiras do core business*), o potencial pleno de empresas cujo modelo está ficando obsoleto, mas que ainda possuem ativos valiosos (*Ativos ocultos*) e o potencial pleno de um modelo de negócios adaptável e reproduzível (*O poder dos modelos replicáveis*). De certo modo, este livro não é diferente. Nele, a busca do potencial pleno também é o ponto de partida. Mas a diferença, como tantas vezes repetimos, é que nos livros anteriores o foco foi o jogo externo da estratégia. Neste, o foco é o jogo interno.

É um jogo que todo líder precisa saber jogar. E, a nosso ver, não há maneira melhor de aprender do que com lições extraídas da mentalidade do fundador. Identificamos três áreas importantes nas quais a mentalidade do fundador pode dar ao líder lições valiosas. Vejamos cada uma a seguir.

AUTOCONHECIMENTO

É extremamente difícil para uma empresa manter a capacidade de autoconhecimento em meio às crises do crescimento e fazer uma avaliação realista de seus pontos vulneráveis. Para não perder essa capacidade, é preciso estar atento aos seguintes problemas:

Falta de indicadores fundamentais. Para avaliar a saúde no plano externo, empresas se valem de diversos indicadores de desempenho (lucro, receita, número de clientes, participação de mercado, preços médios e outros). O que não fazem é determinar a saúde do *core business* por critérios não financeiros, de caráter mais fundamental – e que são essenciais. Foram esses critérios que ajudaram a Dell a bater o recorde mundial de velocidade de crescimento. Somos favoráveis à ideia de incluir na lista indicadores como satisfação de funcionários e de lealdade dos clientes (*customer advocacy*).

Ouvir as vozes erradas. O que você escuta depende de quem você ouve. Um líder que não levanta da mesa e vive cercado de executivos que pensam igual a ele pode cair facilmente nessa cilada, pois não tem nenhum contato com informações novas e ideias dissidentes que surgem na linha da frente. Peguemos o caso de Ed Telling, ex-CEO da Sears, Roebuck & Company, cuja história Bernie Marcus, fundador da The Home Depot, costuma citar como mau exemplo e usar como alerta para todo executivo da The Home Depot. Em seu livro, Marcus e Blank escreveram: "O Telling detestava ir às lojas, que é de onde vinha seu sustento. Era dali que saía seu salário. Ele nunca entendeu isso. [Em nossa] empresa, nós entendemos. É por isso que fazemos questão de que todo executivo nosso vá trabalhar nas lojas ao chegar aqui. Essa política vale até para os advogados".[1] Obviamente, é irônico que seja esse justamente um dos princípios que a The Home Depot negligenciou quando seus fundadores se retiraram da empresa. E mostra como é fácil isso acontecer.

A lição para líderes. Certifique-se de estar ouvindo as vozes da linha da frente, pois são sua melhor proteção contra o autoengano. Circule pela linha de frente, faça reuniões em fábricas, em armazéns – e exija que toda pessoa subordinada a você faça o mesmo. M.S. Oberoi já tinha mais de 90 anos e ainda seguia palpitando sobre comentários deixados por hóspedes. Jeff Bezos tem uma pessoa especialmente destacada para representar a voz do cliente em reuniões importantes na Amazon. Kent Thiry, da DaVita, faz uma teleconferência semanal da qual qualquer funcionário pode participar; na última delas, foram quatro mil pessoas. "Quanto maior o Walmart fica", disse Sam Walton, "mais essencial é que pensemos pequeno, pois foi exatamente por isso que nos tornamos uma empresa enorme – por não agir como tal."[2] Ray Kroc, fundador do McDonald's, tinha uma tremenda visão do poder da enxergar de baixo para cima. "No trabalho, vou da parte para o todo", disse, "e não passo para ideias em grande escala enquanto não tiver aperfeiçoado pequenos detalhes".[3]

A tirania do curto prazo. A melhor maneira de liderar não é esperar que uma crise se instale para só então tomar providências. Grandes líderes administram o próprio tempo como um recurso estratégico, tanto para dar o exemplo aos outros como para deslocar a atenção àquilo que mais importa. "Se ocupar uma posição de liderança, o modo como você usa seu tempo tem um valor simbólico enorme", disse certa vez Andy Grove, o fundador da Intel. "Isso vai transmitir o que é importante ou não com muito mais veemência do que todos os discursos que você fizer."[4]

A mudança estratégica não começa só na cúpula. Começa com sua agenda. Pergunte a si mesmo se você realmente tem controle sobre seu próprio tempo e quando foi a última vez em que você e sua equipe analisaram o modo como vocês usam seu tempo (com clientes, em instalações na linha de frente, com líderes jovens de alto potencial). As respostas podem surpreendê-lo.

Uma última ferramenta de autoconhecimento: use o mapa da mentalidade do fundador e a pesquisa da mentalidade do fundador para determinar sua atual situação. É possível encontrar uma versão simples dessa ferramenta no nosso site (www.foundersmentality.com). Se não souber em que pé a empresa está no presente, é difícil descobrir a melhor rota para o futuro.

AMBIÇÃO COMUM

"Se você não tem um sonho, não há como transformá-lo em realidade", Wexner nos disse.

Embora soe óbvia, essa ideia pode acabar esquecida. À medida que a empresa cresce e se profissionaliza, sua missão pode descambar para declarações genéricas e nada inspiradoras da ambição da empresa. Na rede de livrarias Barnes & Noble: "Ser a melhor empresa de varejo especializado dos Estados Unidos, independentemente do produto que vendemos". Na Avon: "Ser a empresa que melhor entende e satisfaz as necessidades de produtos, serviços e autorrealização de mulheres ao redor do mundo". Volta e meia, a declaração de missão deixa o funcionário sem uma noção realmente clara de qual é a estratégia da empresa ou o que a torna especial.

Quando a ambição de uma organização se torna vaga e difusa, três coisas ruins acontecem: ela perde a capacidade de inspirar; metas financeiras de curto prazo e crises começam a dominar a pauta, pois não há noção do que está sendo construído a longo prazo; e os grandes princípios que servem de norte para decisões perdem nitidez. Grandes líderes não admitem ambiguidade sobre o que é importante. Simplificam a mensagem até chegar a seus fundamentos e falam sobre isso o tempo todo. Foi o que Kevin Sheehan fez ao assumir a Norwegian Cruise Line: revigorou o pessoal em terra e a tripulação a bordo com um senso muito pessoal da missão.

Várias ideias concretas podem ajudar o líder a fazer isso melhor e com mais frequência.

Administre a mentalidade do fundador como um ativo estratégico vital. Se estiver de acordo que os elementos da mentalidade do fundador são tão importantes quanto afirmamos neste livro, então é preciso administrar essa mentalidade como o ativo estratégico que é. Pare e pergunte se está fazendo isso. Reveja a pauta das últimas cinco reuniões da gerência e dos dois últimos off-sites para discussão da estratégia. Pergunte qual foi a última vez que se falou de verdade sobre a diferenciação que sustenta seu modelo de negócios e que medidas serão tomadas para mantê-la viva, sobre o que o pessoal da linha de frente está realmente dizendo e pensando e sobre a rapidez com que vocês decidem e agem na comparação com exemplos externos. Simples, essas perguntas ajudam a expor a força da mentalidade do fundador em uma organização. E, ao fazê-las, é muito comum o líder descobrir que o peso das obrigações do dia a dia sufocou certas coisas que mais importavam. Tente dedicar metade de um dia na próxima reunião da gerência fora da empresa para explorar essas questões – usando dados, não opiniões. Você pode se surpreender com o que vai descobrir.

Trave contato direto com as trincheiras da organização. Funcionários importantes na linha de frente são a melhor fonte de informações quentes e sem filtro sobre clientes, e suas maiores preocupações costumam prenunciar as crises do *overload* ou da estagnação. Quando virou CEO da TNT, uma atribulada empresa de correio expresso sediada na Europa, o executivo holandês Tex Gunning passou as primeiras seis semanas na linha de frente do negócio: em armazéns, em caminhões, com clientes. Gunning, que fizera carreira resgatando empresas mergulhadas em difíceis crises do crescimento, mandou a todos os 70 mil funcionários um e-mail pedindo que dessem ideias e que apontassem problemas e preocupações. Recebeu mais de mil respostas e respondeu todas ele mesmo. Hoje, Gunning vê que esse primeiro ato foi essencial: permitiu que aprendesse e mandasse o recado de que a nova liderança iria se concentrar primeiro na linha de frente, não na cúpula da empresa.

Nossa própria empresa, a Bain & Company, foi eleita recentemente um dos "melhores lugares para trabalhar" nos EUA. Em parte, acreditamos, porque investimos nas preocupações da linha de frente. Todo mês, por exemplo, usamos uma ferramenta on-line para fazer uma sondagem de todas as equipes de projetos e exigimos que o gerente de cada uma delas analise os resultados e tome medidas imediatas. Essa intervenção é tão bem-vista, que estamos a ponto de torná-la quinzenal e, em certas equipes, semanal. É algo que toma pouquíssimo tempo e revela problemas e preocupações imediatamente – quando ainda é possível agir. A tática não serve só para empresas crescidas. Há pouco, mostramos a sondagem que fizemos na Bain sobre a See Wai Hun, fundadora e CEO da Juris Technologies, uma empresa de software financeiro de Kuala Lumpur que é jovem e cresce rápido. No dia seguinte, a executiva escreveu para contar que a firma já estava se mexendo para implementar a ideia – um belo exemplo da mentalidade do fundador em ação.

Seja qual for o porte de sua empresa, pare um instante e analise como a informação direta do pessoal em campo, de clientes e de instalações de produção está chegando a você. Você está recebendo o máximo possível de todos eles? Está fazendo uso do que dizem? Eles concordariam com essa afirmação?

CRIE UMA BÚSSOLA

Quando assumiu a presidência da Unilever, em 2009, Paul Polman herdou uma empresa em *estagnação*. Na década anterior, enquanto o mercado crescia a ritmo acelerado, o faturamento da empresa caíra. Suas quatro maiores concorrentes no setor de bens de consumo tinham registrado um desempenho consideravelmente melhor nas bolsas e analistas descreviam os resultados da empresa na década anterior como um "purgatório". Para virar o jogo, Polman tomou uma medida muito prática – e necessária. Junto com a alta gerência, redigiu o que chamaram de "Compass" – literalmente, bússola. O documento estabelecia um novo propósito para a empresa, uma meta de alto nível e 12 princípios inegociáveis destinados a criar maior coesão e reduzir a complexidade. Polman usou o "Compass" para conduzir a Unilever de volta ao caminho da insurgência com escala.

Não foi fácil. Quando Polman chegou, a Unilever era imensa. Como seria de esperar, também era complexa – aliás, era reiteradamente citada como uma das empresas mais complexas do mundo. Assumir as rédeas da Unilever em plena estagnação foi, portanto, uma missão complicada para Polman, o primeiro CEO da empresa vindo de fora. Mas o executivo aceitou o desafio sem se desesperar. É como disse: "Chegar de fora em uma situação econômica complicadíssima [significava] que eu tinha de achar um jeito de ser aceito na empresa. Fiz duas coisas. Passei um bom tempo estudando os valores da empresa, como foi construída. E tive de achar, para uma empresa que não estava crescendo, uma razão para crescer. Juntei as duas coisas. O propósito da empresa sempre foi melhorar a vida das pessoas, sempre foi trabalhar para o sucesso das comunidades nas quais atua. Então, disse: 'Vamos criar um modelo para duplicar nosso negócio. E, ao duplicar nosso negócio, vamos reduzir nosso impacto ambiental e aumentar nosso impacto social'. Para criar um propósito forte, juntei o melhor da Unilever. Mudamos o sistema de remuneração para [focar] o longo prazo e mandamos sinais claros para mostrar ao pessoal que, ainda que houvesse uma crise, estávamos investindo no longo prazo".[5]

Com uma versão preliminar do "Compass" em mãos, Polman pegou a estrada com uma turma de gerentes para explicar e burilar o documento em grandes reuniões. Ao fim do périplo, milhares de funcionários tinham participado do processo. O passo seguinte foi converter princípios inegociáveis em planos de ação. A equipe tinha descoberto, por exemplo, que um obstáculo ao crescimento em várias partes do mundo era a escassez de talentos – e que, não obstante, era comum uma estratégia ser autorizada sem um plano de recursos humanos. Dali em diante, ficou estabelecido que nenhuma estratégia seria aprovada sem contar com um plano de recursos humanos detalhado. Todo princípio inegociável tinha medidas similares para atrelá-lo a rotinas do dia a dia da empresa.

Com grande destreza, Polman deu uma guinada na Unilever. Desde que assumiu, o faturamento subiu 22% e o lucro, 60%. A cotação das ações dobrou. O envolvimento de funcionários, em tudo quanto é área, anda em 75% – um recorde histórico. Em 2014, a Unilever foi eleita pela GlobeScan e pela SustainAbility a empresa que mais contribuiu, no mundo todo, para promover a sustentabilidade.[6] Polman traça um elo direto entre essa conquista e um princípio instituído por William Lever, um dos fundadores da empresa – cujo principal negócio era uma linha de sabonetes para melhorar a higiene pessoal na era vitoriana.

Trabalhe para codificar os princípios fundamentais da empresa e use o resultado como uma bússola para ajudar a traçar sua rota. Essa prática cria um senso forte de propósito e uma coerência formidável nos atos da empresa. E funciona para companhias de todos os portes ou gêneros, como pudemos observar ao estudar empresas como Marico, DaVita, Norwegian Cruise Line, IKEA e LEGO Group.

HABILIDADES ESSENCIAIS DE DECISÃO PARA O JOGO INTERNO DA ESTRATÉGIA

Warren Bennis, para muitos o maior mestre da liderança, declarou certa vez que uma organização problemática tende a ter gestão demais e liderança de menos. "A distinção é crucial", escreveu. "O gerente é a pessoa que faz as coisas do jeito certo, ao passo que o líder é aquele que faz a coisa certa. A diferença pode ser resumida como atividades de visão e critério."[7] Na esteira, Bennis distingue a *eficiência* do bom gerente da *eficácia* do bom líder – uma distinção que ressaltamos em nosso próprio trabalho sobre a mentalidade do fundador. Vejamos, agora, um punhado de técnicas que tornam tão eficazes os líderes de insurgentes com escala.

Pensam de forma dualista

"Janusian thinking" é o termo cunhado pelo psiquiatra americano Albert Rothenberg para descrever as vantagens, do ponto de vista da criatividade, de considerar duas coisas opostas simultaneamente. Jano, o deus romano dos começos e das transições, era normalmente representado por duas faces, cada uma voltada a uma direção oposta. Algumas das mentes mais criativas do mundo, diz Rothenberg, usaram esse raciocínio dualista para produzir suas ideias mais brilhantes, encarando noções arraigadas como "simultaneamente verdadeiras e falsas". Isso pode levar a um raciocínio extraordinariamente original (ao conceber a teoria da relatividade, Einstein imaginou, em parte, que um homem caindo de um telhado podia estar ao mesmo tempo em repouso e em movimento).

Buscar simultaneamente os benefícios da mentalidade do fundador e os benefícios da escala é um clássico desafio dualista. Para criar uma grande insurgência, um fundador precisa ignorar os limites do setor e abraçar a noção de horizontes ilimitados; já para adquirir os benefícios da escala, precisa ao mesmo tempo se dedicar com afinco ao *core business* e ao duro e meticuloso trabalho de melhorar continuamente. Ambas as coisas são essenciais para uma insurgência com escala – e ambas estão basicamente em conflito. Na mesma veia, insurgentes devem abraçar o caos para poder mobilizar e desmobilizar recursos rapidamente de modo a ganhar e manter clientes. Boa parte da força de grandes incumbentes, no entanto, vem de rotinas e comportamentos fixos, e da exploração da curva de experiência. Líderes insurgentes com escala – empresas como LEGO, Yonghui Superstores, Olam International, Haier, Amazon, L Brands, Google e IKEA – adotaram um jeito dualista de encarar essas demandas conflitantes, o que permite que sejam mais do que a mera soma de suas partes. Em suma, conseguiram forjar novos amálgamas tanto de escala como de velocidade.

Dizem não para poder dizer sim

No setor financeiro, uma legítima insurgente com escala é a Vanguard, a firma americana de investimentos fundada em 1974 pelo lendário investidor John Bogle. Ele criou a Vanguard com uma ideia simples em mente: a seu ver, o pequeno investidor não tinha como bater o mercado no longo prazo – e daí sua estratégia, baseada no poder de fundos de índice com taxas muito baixas. Foi uma estratégia que levou a Vanguard a virar a maior empresa de fundos de investimento do mundo, com US$ 3 trilhões em ativos sob gestão (ou seja, a firma é hoje maior do que todo o setor de fundos de *hedge*). Isso posto, e apesar da enorme tentação a diversificar, a Vanguard seguiu focada no *core business* e na clientela básica de pessoas físicas. Há pouco, pedimos a Bill McNabb, seu atual CEO, que nos explicasse a filosofia da empresa na hora de tomar decisões. Sua resposta foi simples: "Muitas das decisões estratégicas mais importantes que tomamos significaram dizer não a alguma coisa", contou. A Vanguard disse não a uma leva de negócios em *private equity*, no mercado imobiliário e no estrangeiro simplesmente porque a desviariam de sua missão principal. McNabb contou que a empresa chegou a recusar grandes aportes de gente que não se encaixava no perfil do investidor da empresa, algo sem precedentes no setor.

No plano estratégico, a causa mais comum da estagnação é o abandono prematuro do *core business*. Ou, dito de outra forma, a incapacidade da empresa de dizer não a oportunidades novas sem nenhuma relação com sua principal missão. É só pensar na desastrosa diversificação do grupo LEGO ou na perda de foco da Perpetual. Grandes líderes, como vimos uma e outra vez, deixam claro o que a empresa representa (o que não é negociável), pois isso ajuda a dizer não a oportunidades tentadoras que vão desviar recursos ou energia do principal, do *core*. Nelas, toda decisão passa por um crivo rigorosíssimo.

Há muitas maneiras de fazer a empresa dizer não com mais facilidade. Uma delas é exigir que, para criar um novo projeto, a empresa encerre outro. Outra é fazer o que a AB InBev faz: iniciar o processo de tomada de decisão dizendo não a tudo – o que significa partir com um orçamento base zero. Uma das vias mais fáceis para um líder se meter em encrenca é permitir que "mil flores floresçam" na hora de investir. Não vai dar certo, e grandes fundadores sabem disso. Sabem o poder que tem dizer não.

Usam o poder do 10X

Anos atrás, estudamos um grande conglomerado europeu com mais de 50 divisões distintas espalhadas por dezenas de mercados. O grupo não tinha registrado crescimento orgânico em mais de uma década, suas ações valiam uma ninharia e a empresa vinha tentando crescer no lugar errado. Não demorou para entendermos o porquê. Para começar, o crescimento da maioria dos negócios que comprara (muitos deles ainda tocados pelos fundadores) tinha desacelerado depois da aquisição – o oposto do que se esperava com a compra, obviamente. Em segundo lugar, o capital da empresa estava distribuído de modo uniforme por uma gama extraordinária de operações e posições competitivas distintas. O grupo apostava alto nas empresas que comprava – mas, embora fossem empresas muito diferentes, tratava todas de forma igual. Investia nas ruins na esperança de que se aproximassem das boas – e não investia pesado nas boas porque estas já iam bem. O resultado? Uma mediocridade uniforme.

Insurgentes com escala rejeitam essa abordagem. São enfáticas na hora de alocar recursos. A Amazon, por exemplo, viu que a entrega no mesmo dia poderia aumentar consideravelmente a receita – e viu também que start-ups insurgentes como a Instacart e a WunWun estavam apostando na entrega imediata de determinados produtos. Daí a Amazon ter investido em sua frota de entregas, na tecnologia de drones e em muito mais.

Em geral, quanto maior uma empresa vai ficando, menos pensa na hora de investir. É um processo insidioso, cujos primeiros sinais são monitorados com atenção por insurgentes com escala. Essas insurgentes estão sempre buscando investir pesado para aumentar sua diferenciação no *core*. Foi assim que Mukesh Ambani, o homem mais rico da Índia, transformou a Reliance Industries – a gigante industrial com sede em Mumbai fundada por seu pai, Dhirubhai Ambani – na empresa mais valiosa da Índia. Guiado por um princípio que chama de "mentalidade do proprietário", e que compara à mentalidade do fundador, Ambani pensou grande em 2000 sobre capacidades críticas para o *core* futuro de sua empresa e construiu uma refinaria petroquímica com capacidade para atender 25% do gigantesco mercado indiano, com tecnologia e escala que lhe davam uma vantagem de custo de 30% em relação a concorrentes regionais.[8] A maioria das empresas teria evitado um investimento dessa monta.

Moral da história: grandes líderes combatem a entropia. Esteja disposto a tomar uma decisão do tipo 10X, sobretudo para investir em novos ativos e capacidades para renovar o *core*.

Buscam a raiz "oculta" do problema

Grandes insurgentes com escala usam a mentalidade do fundador para identificar e eliminar problemas pela raiz. É o que faz a Toyota com seu sistema de produção. Sempre que um trabalhador na linha de produção percebe um problema, imediatamente é deflagrado um processo de análise da causa – às vezes chamado de "os cinco porquês". Com uma sequência de cinco perguntas, busca-se chegar à verdadeira raiz do problema. Descobrimos que os melhores líderes fazem o mesmo intuitivamente, não só para problemas de manufatura, mas para questões de negócios mais gerais.

Vikram Oberoi é um bom exemplo. Certa vez, o empresário nos contou que uma hóspede se queixara, por escrito, de que seu chá chegara frio. O gerente do hotel redigiu uma resposta educada se desculpando, mas não investigou o assunto a fundo, o que Vikram descobriu ao ler a carta do gerente, e então ligou para ele e começou a investigar (lembrando que ele é o CEO e tem outros 30 hotéis com os quais se preocupar). "Como a hóspede era inglesa, eu tinha certeza de que de chá ela entendia", disse Vikram. "Pedi então ao gerente do hotel que comparasse a temperatura da água quente do Oberoi com a de uma chaleira normal. E havia uma diferença. Quis saber o porquê, e descobrimos que a água que saía das máquinas de água quente era perceptivelmente mais morna perto do fim do ciclo de descalcificação. Quisemos saber o porquê e descobrimos que não havia um programa regular de manutenção das máquinas que levasse em conta mudanças de temperatura ao longo do tempo. Perguntamos a outros hotéis da Oberoi e vimos que era um problema comum. Estávamos, todos, entregando um chá ligeiramente morno em determinado ponto do ciclo de manutenção. Fomos e resolvemos [o problema]. É assim que buscamos elevar nossos padrões todos os dias."[9]

Moral da história: seja um ouvinte ativo, ainda que isso consuma mais tempo e energia. Use os cinco porquês nas reuniões da empresa. O pessoal a seu redor pode até ficar irritado, mas a técnica vai elevar a qualidade do diálogo e aumentar a atenção a detalhes.

Investem pesado na próxima geração de líderes

Até hoje não encontramos um líder que achasse que tinha investido demais em talentos.

Sunny Verghese, CEO da Olam, participa diretamente do processo de promoção dos 800 funcionários mais destacados da trading de commodities agrícolas – e não só conhece todos pelo nome, mas tem uma opinião sobre cada um. Até bem pouco, Verghese fazia questão de entrevistar todo candidato de fora – e isso em uma empresa de 23 mil trabalhadores. A AB InBev dá igual atenção ao processo de seleção. "A gestão de talentos ocupa, facilmente, mais de um terço do tempo de executivos, quando somamos tudo", diz Jo Van Biesbroek. "É bastante." Na esteira, Biesbroek explicou que essa gestão de talentos é particularmente importante porque a AB InBev dá missões e metas excepcionalmente grandes a gente em começo da carreira. "Assim que chega, a pessoa recebe uma meta difícil", contou. "E observamos a reação. Damos muito coaching, muita orientação, mas se [a pessoa] não aceitar o desafio, é um sinal. O crucial, nisso tudo, é como aplicar a meritocracia. Todo mundo fala disso, mas nosso sistema todo é fundado na meritocracia. Daí investirmos tanto em jovens talentos."

Podíamos seguir nessa toada. Os grandes líderes de insurgentes com escala dedicam boa parte de seu tempo a recrutar talentos, orientar talentos, promover talentos e tentar segurar talentos. Sabem, claramente, que a capacidade da empresa de crescer depende da capacidade de sua gente de crescer. A maioria dessas empresas tem uma forte tendência a promover gente da casa e a dar oportunidades para que o pessoal ocupe postos de gerência geral e até de minifundadores ali dentro, para que os indivíduos mais talentosos possam assumir responsabilidades e provar a mão em postos de liderança. As melhores insurgentes com escala são antiburocráticas e intensamente meritocráticas. A explicação é que, sem os talentos certos, e sem uma meritocracia para motivá-los, a empresa deixa de crescer.

Considere as seguintes perguntas: sua empresa segue sendo tão meritocrática quanto era lá no começo? Qual foi a última vez em que você passou por cima dos sistemas de RH para premiar um verdadeiro herói da empresa, ou um indivíduo de desempenho espetacular? Empresas montam sistemas em torno da regra, não da exceção. Às vezes, é preciso ignorar sistemas formais.

Investem preventivamente para construir novas capacidades

Todos os casos de sucesso duradouro que exploramos neste livro exigiram, quase sem exceção, um grande investimento em uma ou mais capacidades novas para fortalecer ou adaptar o modelo de negócios. Na correria de trocar a equipe, redefinir e divulgar a insurgência, reduzir a complexidade e os custos e refundar a empresa internamente, é fácil postergar ou negligenciar essa etapa. Mas é um erro. Logo no início do processo de transformação, você e sua equipe devem se perguntar que capacidades é preciso construir ou adquirir para recuperar plenamente a competitividade.

No livro *O fim da vantagem competitiva*, Rita Gunther McGrath sustenta que qualquer vantagem isolada que uma empresa tenha atualmente no mercado provavelmente será passageira – e daí ser necessário estar sempre investindo no modelo de negócios seguinte e em novas capacidades para diferenciar a empresa. Vejamos como isso funciona em uma empresa que conhecemos bem – e cuja ascensão à insurgência com escala se deve à capacidade de estar constantemente adquirindo novas capacidades para expandir fronteiras e inovar em torno do modelo de negócios. Estamos falando da Olam.

Desde um modesto início em 1989, quando montou uma cadeia de suprimento excepcionalmente confiável e à prova de corrupção para comercializar castanha-de-caju proveniente da

Nigéria, a Olam não parou de crescer. Hoje, são 45 *commodities* agrícolas em 65 países, um faturamento de US$ 13,6 bilhões ao ano e um lucro de mais de US$ 650 milhões. Todo esse sucesso fez de seu IPO um dos de melhor desempenho na Ásia na última década. Seu CEO, Sonny Verghese, acumula vários prêmios, incluindo o de CEO do ano no Sudeste Asiático. O desempenho da empresa é ainda mais notável quando se considera o baixo crescimento de seus mercados, os desafios práticos de montar uma cadeia de suprimento segura em lugares como a Nigéria e a inerente complexidade do negócio.

Pensemos no seguinte. Antes da Olam, o produtor típico de caju vendia a safra a um atravessador, que por sua vez vendia o produto a um distribuidor, que então contratava alguém para transportar a mercadoria até armazéns onde grandes empresas internacionais vinham buscá-la. Ninguém era "responsável" pela cadeia de suprimento toda. O resultado é que a cadeia era porosa, pouco confiável, difícil de monitorar e infestada de corrupção. O agricultor recebia uma minúscula fração daquilo a que tinha direito. Verghese e equipe acreditavam que poderiam diferenciar a empresa aos olhos de multinacionais como Nestlé se focassem a cadeia de ponta a ponta com a meta de administrar a coisa toda eles mesmos. A Olam conseguiu e, hoje, é a única em seus principais mercados que possui uma cadeia de suprimento totalmente integrada da porteira da fazenda ao usuário final. Todo candidato a gerente na Olam passa pelo menos três anos morando no campo, fazendo o trabalho em terreno.

A Olam foi erguida sobre quatro capacidades – e todas a diferenciam. Duas vezes por ano, Verghese passa uma semana com gerentes cruciais para orientá-los pessoalmente sobre o que torna especial a Olam e diferencia seu modelo (erguido sobre uma cadeia de suprimento tão confiável, que é possível saber a proveniência de cada castanha). É o que a empresa chama de capacitação para o processo central – e é coisa séria. Essas sessões garantem que todo funcionário crucial entenda a fundo uma série de capacidades que dão à Olam sua vantagem competitiva. A empresa está sempre fazendo as seguintes perguntas a si mesma e agindo com base nas respostas (as perguntas obedecem a uma hierarquia e sugerimos que todos considerem fazê-las para sua própria empresa):

Pergunta: O que diferencia a empresa?

Resposta: A forma como administramos nossa cadeia de suprimento.

Pergunta: E o que há de especial nisso?

Resposta: Controlamos a cadeia de suprimento da porteira da fazenda ao consumidor.

Pergunta: E o que há de especial nisso?

Resposta: Instalamos gerentes nas comunidades rurais e temos um sistema exclusivo de gestão de riscos que utiliza informações locais para rastrear cada produto do campo à fábrica.

Pergunta: E o que há de especial *nisso*?

É só depois dessa última pergunta que chegamos às capacidades fundamentais no cerne da insurgência da Olam, hoje e no futuro. Essa sequência de perguntas leva o leitor à joia da coroa de um negócio.

O crescimento rentável da Olam, que já dura décadas, é a história da reutilização de um modelo repetível em produto após produto, em país após país. À medida que crescia, a empresa virou mestra em conquistar novas capacidades que lhe permitissem entrar em novos mercados e atacar *profit pools* vizinhos. A empresa percebeu, por exemplo, que o beneficiamento secundário – separação, "blanching", torragem, trituração, empacotamento – poderia ser um grande acréscimo à sua cadeia de suprimento, concentrando uma parte maior do processamento perto da origem e entregando um produto de maior valor agregado a clientes. A Olam adquiriu, portanto, esses recursos – bem como a capacidade de comprar e integrar negócios locais sem a necessidade de intermediários.

Falamos, anteriormente, sobre como grandes insurgências são erguidas em torno de um punhado de vantagens fora de série. Grandes empresas preferem investir uma ordem de magnitude a mais do que o normal, o que chamamos de 10X, em um punhado de vantagens profundas. Vence quem é fora de série, não mediano.

Criamos uma ferramenta simples para que o leitor inicie essa discussão. É uma matriz de 15 capacidades e ativos básicos que nasceu de nossa análise dos principais diferenciais de 200 empresas, com suas 900 fontes de diferenciação. A matriz pode ser usada como ponto de partida para uma exploração ainda mais profunda – como as perguntas da Olam – que conduza à essência de suas capacidades mais importantes (veja a figura 6-2, que apareceu pela primeira vez em nosso livro *O poder dos modelos replicáveis*).

Toda equipe de liderança, sobretudo de empresas em queda livre, deveria fazer as perguntas a seguir – pois, a certa altura, serão fundamentais para a sobrevivência:

- Quais foram as capacidades mais fortes na base de nosso sucesso no passado?
- Essas capacidades ainda são relevantes e robustas?
- Que capacidades serão necessárias para competirmos no futuro?
- Como e quanto vamos investir para adquirir essas capacidades?

UM PLANO DE AÇÃO PARA LÍDERES

FIGURA 6-2

Matriz de capacidades

					Interface com clientes
Capacidades de gestão	Gestão de portfólio e finanças	Gestão regulatória	F&As, JVs e parcerias	Estratégia e criação de valor de unidades de negócios	Gestão de talentos
Capacidades operacionais	Sourcing	Cadeia de suprimento e operações	Desenvolvimento de produtos e inovação	Go-to-market	Experiência do cliente
Ativos exclusivos	Ativos tangíveis	Tecnologia, PI e dados	Proposta de valor e marca	Pessoas, talentos e cultura	Relação com cliente
	Retaguarda administrativa (back office)				

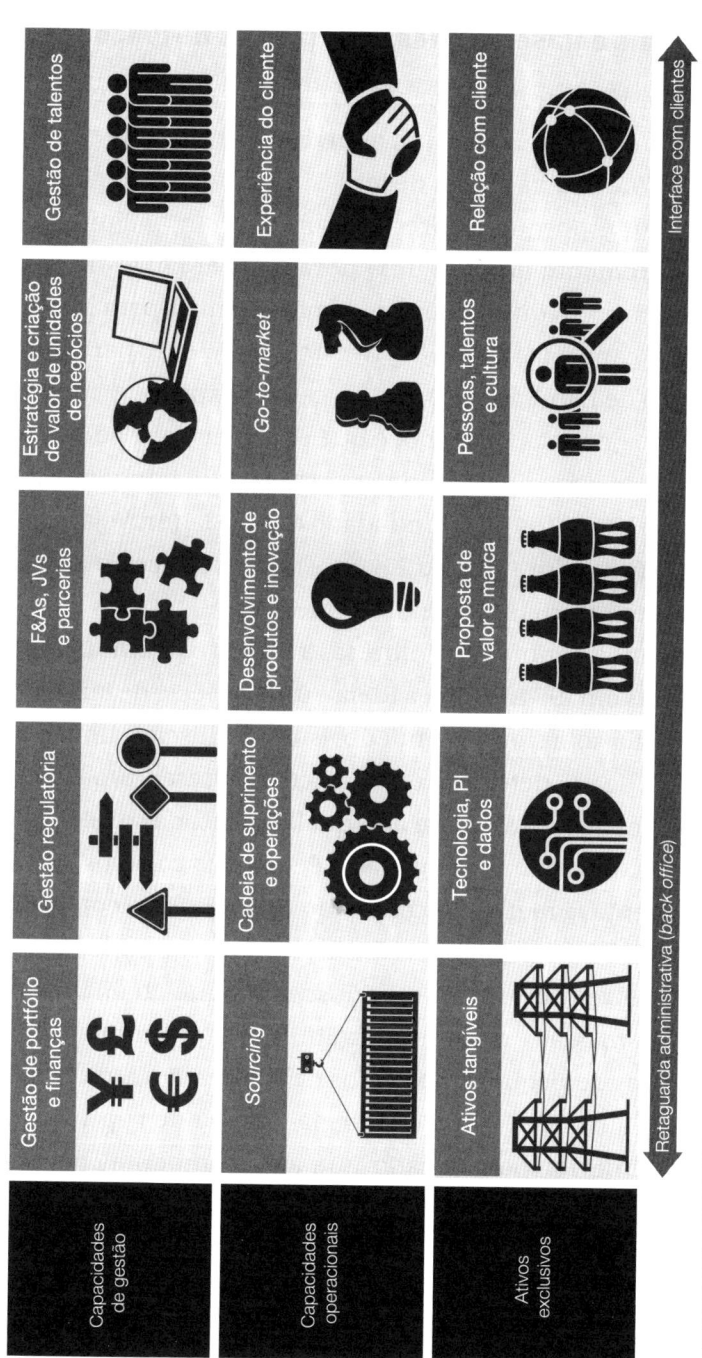

Dão mais ênfase a metas e horizontes de longo prazo

Investir preventivamente em novas capacidades é uma das decisões mais difíceis para um líder. Por quê? Porque esse investimento consome caixa e gera despesas, porque quase nunca dá retorno imediato e porque, sobretudo sob o olhar vigilante do mercado, aparentemente nunca é uma hora boa para investir. O resultado é que a empresa quase sempre demora demais para investir em uma grande capacidade ou não investe o suficiente para atingir o nível exigido de habilidade com a necessária rapidez.

A boa notícia, contudo, é que um líder pode adotar táticas para transferir o foco para o longo prazo, o que também serve para reforçar elementos da mentalidade do fundador. Vejamos o exemplo de um fundador – Robert Keane – que teve sucesso nessa empreitada, tanto interna como externamente.

Keane fundou sua empresa, a Cimpress, em um apartamento em Paris em 1994. Tivera a ideia – uma espécie de lampejo – durante uma aula sobre empreendedorismo no Insead, uma escola de negócios. Keane detectou, entre microempresas, uma enorme necessidade de imprimir, com alta qualidade, toda sorte de material (de cartões de visita a sinalização). Pelos seus cálculos, esse segmento representava metade do mercado de impressão comercial, embora não estivesse dando muito dinheiro para as grandes gráficas. Keane desenvolveu um método exclusivo – o que chama de "customização em massa" – que lhe permitiu obter economias de escala com milhares de pequenos projetos de impressão. Sua abordagem, nos disse, equivalia a "uma estratégia clássica de ruptura, partindo da ponta inferior do mercado que as incumbentes não estavam, na prática, atendendo".

Demorou um pouco para a Cimpress passar de start-up a insurgente. Em 2005, no entanto, a empresa tinha achado a fórmula para sua primeira fase de crescimento: um modelo replicável que lhe permitiu atacar distintos segmentos de impressão e distintas localizações, usando a internet para processar pedidos e instalações de impressão regionais com um software especial de lotes que permitia a personalização em massa. Em 2005, a empresa teve um faturamento de US$ 90 milhões e, em 2011, crescera a um fator de quase dez vezes, para mais de US$ 800 milhões. Mas, então, veio o *overload*: o crescimento arrefecia, as margens encolhiam e o investidor ficava nervoso. "Tínhamos um foguete no lugar certo, na hora certa e com uma enorme vantagem de custo", disse Keane. "Tínhamos crescido do nada para US$ 800 milhões em oito anos. Mas estava preocupado com os sinais de desaceleração, e até com um câncer insidioso fruto da noção arrogante de que podíamos até caminhar sobre a água. Estávamos trabalhando muito, fisicamente exaustos e nos perguntávamos se [a empresa] estava ficando inchada e lenta. Precisávamos investir para melhorar nossas capacidades e simplificar nossos negócios internamente, sobretudo a tomada de decisões. Também decidimos começar a fazer grandes investimentos para o longo prazo."

Keane fez uma série de mudanças. Escreveu uma carta ao *Wall Street Journal* anunciando que a Cimpress estava investindo de olho no longo prazo, abandonando o "guidance" de resultados anual e definindo a remuneração de executivos e as metas também com base no longo prazo. "Deixamos claro o objetivo de ser a líder mundial em customização em massa e subordinar todas as metas financeiras a indicadores de valor intrínseco por ação", disse. Já dentro dessa iniciativa, a Cimpress mudou o foco: de lucro no curto prazo, para retorno do capital a longo prazo. A meta, como disse Keane, era "ressuscitar a cultura empreendedora, trabalhar em equipes com metas de longo prazo e investir para garantir que tivéssemos o menor custo e a maior velocidade do setor".

Foi preciso coragem: Keane e a equipe tiveram de mudar o modelo. Criaram mais unidades de negócios com uma prestação de contas clara, até para investimentos. Eliminaram todas as situações nas quais quem decidia era um comitê, atribuindo as decisões a um único indivíduo em cada unidade. Adotaram regras explícitas para instituir "guardiões" de coisas como a gestão da marca e, isso feito, deixaram as decisões no nível seguinte a cargo do pessoal que operava o negócio. Enxugaram drasticamente os departamentos administrativos e intensificaram o foco das decisões na alocação de capital e na construção de capacidades a longo prazo.

A estratégia está dando certo. Em todos os mercados da Cimpress, o crescimento orgânico aumentou; o porte da empresa, agora de US$ 1,5 bilhão, quase dobrou; hoje, o investidor de longo prazo tem mais peso no mix de investidores. O resultado é que a cotação das ações triplicou, de US$ 26 em 2011, quando essas iniciativas tiveram início, para mais de US$ 80 em 2015.

Moral da história: reconheça que as metas da empresa vão ficando cada vez mais curtoprazistas e combata essa tendência na alocação do capital, na definição de metas e objetivos internos, nos sistemas de remuneração e na comunicação com investidores.

Viram guardiões da rapidez e da agilidade

À medida que cresce, uma organização inevitavelmente fica mais complexa e menos focada – até que para de crescer. Esse é o paradoxo do crescimento. Se reunirmos mil mentes humanas em um mesmo espaço e pedirmos que simplifiquem algo, desse árduo esforço surgirá algo ainda mais complicado. É por isso que líderes devem ser os guardiões da rapidez e da agilidade.

A rapidez foi um fator em quase toda seção deste livro. Rapidez para decidir. Rapidez para executar. Rapidez para chegar ao mercado. Rapidez para repor estoques. Rapidez para resolver problemas de clientes. Rapidez para chegar à raiz da questão. Rapidez para se adaptar. Rapidez para adquirir e integrar. Rapidez para ver a crise chegando. Rapidez para se preparar. Rapidez para agir. Rapidez para crescer.

A rapidez vence na maioria dos mercados hoje em dia e insurgentes com escala sabem disso. Apesar do tamanho, essas grandes insurgentes estão entre as empresas mais velozes do mundo. Um estudo feito por nossos colegas na prática organizacional da Bain & Company mostra estreita relação entre o desempenho da empresa, a rapidez da tomada de decisões e a qualidade percebida dessas decisões. Descobrimos que líderes de insurgentes com escala estão profundamente cientes de que a empresa pode perder velocidade à medida que cresce – e, para combater esse risco a todo instante, tratam de eliminar um ou todos os exterminadores ocultos da rapidez relacionados a seguir:

Exterminadores ocultos da rapidez na organização

1. Excesso de complexidade.
2. Vampiros de energia.
3. Debates em comitês nos quais ninguém "tem o D" (o poder de decisão).
4. Excesso de camadas organizacionais e de atravessadores ("span breakers").
5. Ambiguidade em relação a princípios e objetivos centrais e falta de instintos comuns para reagir a concorrentes.
6. Recursos retidos em departamentos (e, daí, o poder de partir de zero).
7. Experiências do cliente fragmentada, sem ninguém que concentre a responsabilidade.

8. Falta de reunião das segundas para destravar decisões e ações, o que deixa conflitos sem solução.
9. Incapacidade de adotar modelos replicáveis, fazendo com que cada nova oportunidade de crescimento exija capacidades novas e distintas.
10. Grandes equipes administrativas iniciando novas atividades sem parar para reunir mais informações.

Moral da história: o líder deve converter a rapidez em vantagem competitiva em tudo o que faz. Todo líder deve agir para minimizar tudo o que reduz a velocidade, promover indicadores de rapidez e incentivar ideias novas para aumentá-la. Em seus 20 anos como CEO da General Electric, Jack Welch levou a empresa de um faturamento de US$ 26,8 bilhões para quase US$ 130 bilhões. Welch, contudo, ficou mais conhecido por melhorar seu desempenho e sua rapidez. É dele uma frase famosa: "Quando a velocidade da mudança dentro de uma instituição passa a ser menor do que a velocidade da mudança fora dela, o fim está próximo".[10]

Mas velocidade não basta. O líder também precisa ser o guardião da agilidade. Ao longo do livro, mostramos como um CEO pode erguer empresas mais ágeis. A Yonghui, a líder chinesa no varejo de hortifrútis, aumenta a própria agilidade ao manter um braço insurgente de "lojas verdes" ao lado das operações já estabelecidas das "lojas vermelhas". Sua tese é que se uma nova insurgente vai vir e subverter o setor, que pela menos seja "sua" insurgente. Os líderes da Mey, a maior fabricante de destilados da Turquia, mantêm a agilidade com as reuniões da segunda-feira, que usam para eliminar obstáculos à inovação e obrigar departamentos e territórios de vendas a compartilhar recursos – e responsabilidades. Já a AB InBev promove a agilidade ao incutir a cabeça de dono em tudo quanto é parte do negócio.

Dividem o ônus da liderança com toda a organização

Quando falamos de redescobrir a mentalidade do fundador, não queremos que o leitor conclua que todos os caminhos levam ao CEO. Tampouco queremos que ache que, se quiser mudar, deve esperar primeiro o CEO agir. Não, nosso ponto é outro: seja qual for seu posto na empresa, se abraçar a mentalidade do fundador você jamais ignora um problema por julgar que é de outra pessoa. Você – e todos os demais na empresa – assume sua responsabilidade.

Isso nos leva à espetacular história de Jabo Floyd.

Floyd, que há 25 anos trabalha no Walmart nos EUA, é gerente geral do Centro de Distribuição 6094, em Bentonville, Arkansas. Para quem quer entender os espetaculares benefícios para uma empresa de ser grande, um centro de distribuição (ou CD) do Walmart é um bom começo. Esses centros são testemunha das incríveis eficiências obtidas com a escala e do contínuo aprendizado ao longo de décadas. Um CD é como uma imensa máquina de triagem. De um lado, mais de 100 caminhões chegam diariamente de fornecedores, com mercadorias descarregadas pelo pessoal do CD. Do outro lado, quase 200 caminhões chegam todo dia de lojas do Walmart para buscar a quantidade exata de mercadoria necessária para repor as gôndolas de cada estabelecimento. Um CD não tem receita; seu desempenho é medido pela eficiência. Com que rapidez e exatidão os caminhões são descarregados e carregados em cada ponta do processo? Com que rapidez e exatidão se separa a mercadoria para essa ou aquela loja? Os CDs do Walmart mantêm um certo estoque, mas grande parte da mercadoria simplesmente passa, em questão de horas, de um caminhão que chega para um caminhão que sai.

Como seria de esperar de uma empresa como o Walmart, boa parte dessas eficiências se deve ao puro porte da operação. O CD de Bentonville funciona 24 horas por dia; o lugar tem mais de 300 docas de carga e descarga para caminhões; meio milhão de pacotes, aproximadamente, circula todos os dias pelos quase 20 quilômetros de correias transportadoras do lugar; caminhões que saem das lojas percorrem quase 3 milhões de quilômetros por mês para abastecer os 167 estabelecimentos atendidos pelo CD. As equipes que gerenciam toda essa movimentação são lideradas por veteranos da casa: gente prática, com anos de experiência em fazer o pessoal sob seu comando dar o melhor de si. Em um setor que depende de um extraordinário sortimento e da capacidade de responder aos clientes, Floyd e sua equipe são *estrelas do time*.

Mas, embora tenha suas vantagens, ser grande também pode derrubar a rapidez e a agilidade da empresa, como já discutimos neste livro. E esse é um grande desafio para os centros de distribuição do Walmart, onde equilibrar a equação agilidade-eficiência requer melhoramentos contínuos. À medida que o Walmart amplia a variedade de produtos que chegam aos CDs, abre mais lojas de menor porte e investe na capacidade de despachar mercadorias tanto para que o cliente retire nas lojas como para a entrega em domicílio, rapidez e agilidade são mais importantes do que nunca. Crescimento gera complexidade – e a complexidade destrói o crescimento.

Floyd vinha penando com a crescente complexidade do trabalho quando ouviu uma de nossas apresentações sobre a mentalidade do fundador. Na empresa, uma série de altos líderes vinha pegando a deixa do novo CEO, Doug McMillon – que desde que assumira o posto, em 2014, vivia falando do legado de Sam Walton e da importância da mentalidade do fundador. Essa mensagem calou fundo. "Faz 26 anos que estou na empresa e dirijo uma área repleta de outros veteranos do Walmart", nos disse Floyd há pouco. "É gente cheia de distintivos, que cresceu na fase insurgente da empresa. Fizemos parte do crescimento incrível do Walmart e da trajetória de insurgente a incumbente. Quando vi a apresentação sobre a mentalidade fundador, disse a meus botões: 'A partir de hoje, vamos começar a agir como insurgentes. Vamos correr riscos. Vamos voltar a nos divertir. Não preciso esperar que outra pessoa comece a agir de outra forma. Vamos começar, vamos desafiar uns os outros, vamos fazer as coisas de forma diferente".

É verdade, como observou Floyd, que em uma grande empresa quase tudo já foi testado antes. "Isso pode desmotivar", disse. "Pois qualquer um pode interromper uma sessão de *brainstorming* e dizer algo como 'Ah, já fizemos isso em 1998, não deu certo'". Floyd proibiu esse tipo de intervenção. "A equipe entendeu que estávamos numa encruzilhada. Precisávamos de novas ideias e precisávamos experimentar. Todos sabemos que temos de fazer as coisas de outra forma. Somos insurgentes e precisamos experimentar. Não estou nem aí se sempre fizemos a coisa de um certo jeito e não estou nem aí se testamos antes e não deu certo. O que me importa é testar e experimentar."

Uma das primeiras experiências foi mudar a forma de medir a produtividade no CD. "Somos muito bons na hora de determinar o desempenho de cada pessoa isoladamente, até o mais mínimo detalhe", disse Floyd. "Mas se o indivíduo pega um caminhão ruim – um caminhão muito difícil de descarregar e triar –, seu dia está arruinado. Basta ver o caminhão para a pessoa saber que não vai se recuperar naquele dia. E isso desanima." Floyd começou a fazer do desempenho da equipe o principal indicador. "Assim, todo mundo se une para lidar com um caminhão ruim e, isso feito, cada um pode partir para os caminhões mais fáceis."

Floyd e a equipe reconhecem que estão no início de uma viagem longa. O poder da mentalidade do fundador reside em parte no espírito que promove à medida que se espalha pela organização. Floyd: "Creio que há algo na ideia de pedir perdão, não permissão.

Mas a experimentação precisa andar de mãos dadas com uma noção clara de limites. O Walmart tem isso. Há pouco, nosso CEO liderou uma iniciativa sobre o 'Way of Working' [o jeito de trabalhar] do Walmart. Ele esteve com muitos de nós para ouvir nossas melhores ideias sobre o que isso significa em termos de ética, de legislação, de colocar o cliente em primeiro lugar. É simples e claro. Minha opinião é que, se a pessoa tiver sido treinada no 'Way of Working' do Walmart e estiver disposta a segui-lo, é possível experimentar dentro dessas diretrizes. Precisamos experimentar e mudar as coisas".

Para Floyd, agir como uma insurgente tem o benefício de liberar o potencial das centenas de equipes que atuam na linha de frente. "Fui técnico de basquete", contou. "E, para mim, o time é tudo. A ideia é que todo mundo dê o melhor de si e se sinta parte da vitória." Como técnico, Floyd não queria que os jogadores ficassem olhando para o banco para saber o que fazer. "Quero que enfrentem o adversário e ganhem. O Walmart é um time de times e, se conseguirmos liberar a energia de cada um e aprender com todos eles, vamos conseguir o melhor de insurgência e da escala. Às vezes, os músculos que trouxeram sua fama lá no começo são os mesmos que você para de exercitar quando chega lá. O Walmart foi erguido com essa energia e essas equipes, e podemos deixar esses músculos tinindo de novo, cultivando ao mesmo tempo os novos [músculos] que necessitamos para atuar num mundo de varejo mais complexo."

A nova ênfase na equipe ajudou bastante com gente recém--contratada. "Tivemos uma reunião com toda a equipe para conferir com o pessoal se o novo conceito de time estava funcionando", disse Floyd. "Uma coisa que notamos foi que [a ideia] era um grande sucesso entre os recém-contratados. Agora, eles se sentem parte de algo maior. Adoram a ideia de pertencer a uma equipe diversificada. Gostam de estar trabalhando com veteranos – e os veteranos gostam da energia do pessoal novo."

Floyd teve uma das trajetórias mais extraordinárias no mundo dos negócios. Começou com Sam Walton, um dos grandes fundadores do meio empresarial americano e verdadeira encarnação da mentalidade do fundador descrita neste livro. Ao longo da carreira, Floyd chegou a um posto de alta liderança no Walmart, ajudando a tornar a empresa uma das maiores e mais bem-sucedidas da história empresarial americana. Mas Floyd não vive de glórias passadas. Hoje, em um momento de grande turbulência para o varejo americano, quer que o Walmart escreva o próximo capítulo como uma grande insurgente com escala – e não está esperando a deixa para começar. "Não quero ser o sujeito da velha guarda", disse. "O veterano que decreta que sempre fizemos assim ou assado. O que me tira o sono à noite é acordar e sentir que não sou mais relevante para os desafios que temos. E não quero ver a rapaziada olhando para mim e dizendo 'Lá vai o Jabo, o velho que por 25 anos deu o sangue pelo Walmart.' Quero que olhem para mim e digam 'Lá vai o Jabo, o cara que está sempre tentando mexer aqui, mudar ali. O Jabo é sangue novo'. Não quero ser o velho batuta. Quero ser o insurgente".

A história de Floyd e sua ambição são profundamente inspiradoras e um desfecho perfeito para este livro. Floyd abraçou a mentalidade do fundador – como cada um de nós pode fazer – e, agora, o céu é o limite. Imagine se você fosse líder em seu *core business*. Imagine se você pudesse chegar à bola mais depressa do que qualquer outro em seu setor. Imagine se você tivesse gente motivada e comprometida como o Floyd. Se pudesse fazer isso tudo, sua empresa seria o melhor lugar para os melhores talentos trabalharem – e você seria o maior pesadelo de suas concorrentes.

Você seria um verdadeiro insurgente com escala.

NOTAS

Prefácio

1. Desde o lançamento de nosso primeiro livro, *Lucro a partir do core business*, em 2001, mantemos um banco de dados de oito mil empresas de capital aberto do mundo todo – um repositório de informações que chamamos de "Profit from the core database". Já são 30 anos de dados, que usamos para analisar padrões de crescimento mundo afora; a nosso ver, são como "tábuas atuariais" do crescimento de empresas. Hoje, no mundo todo, a parcela de empresas que registrou um crescimento sustentado e rentável durante uma década ou mais acima de níveis mínimos (o que, segundo nossa definição, significa 5,5% de aumento da receita e do lucro, em valores atualizados) e que, no período também ganhou mais do que o custo do capital, não passa de 11%. Veja pesquisa com 377 executivos globais realizada para a Bain & Company pela Economist Intelligence Unit (EIU) em março de 2011.

2. Análise feita para nosso livro *O poder dos modelos replicáveis: a construção de negócios duradouros em um mundo em constante transformação*, com base em questionários aplicados a 300 mil trabalhadores e analisados pela Effectory (empresa especializada em pesquisas com trabalhadores na Europa) em parceria com a equipe da Bain.

3. Gallup, *State of the Global Workplace*, 2012.

4. Análise da Bain com base em dados da Capital IQ, relatórios de empresas e pesquisa bibliográfica. Índice de fundadores (n = 115) inclui empresas do S&P 500 em 2014 cujo fundador era o CEO ou ocupara um assento no conselho de administração por pelo menos oito dos últimos dez anos.

5. Avaliação de 200 empresas do mundo todo realizada pela Bain; estudo interno com base em pesquisa bibliográfica e especialistas.

6. Kevin J. O'Brian, "Nokia's Success Bred its Weakness: Stifling Bureaucracy Led to Lack of Action on Early Smartphone Innovation", *International Herald Tribune*, September 27, 2010.

7. Nessa análise, usamos uma amostra de 25 empresas de grande porte com longa trajetória e cuja criação de valor podia ser acompanhada desde o princípio. Em seguida, classificamos desafios e decisões que a empresa precisou enfrentar/tomar em cada período e classificamos grandes variações em valor segundo as circunstâncias da empresa no momento e no estágio de vida. Descobrimos que grandes oscilações no valor em relação a médias do mercado acionário ocorriam quando as perspectivas de crescimento rentável no futuro subiam ou caíam consideravelmente; descobrimos, ainda, que essa percepção tinha muito mais relação com o desempenho da empresa em relação ao do setor do que com variações no setor (aliás, mais de 80% da variação no valor era relacionada à indústria, e não à ascensão e à queda de expectativas de crescimento do mercado).

8. Estimativas vieram de uma análise que fizemos de nosso banco de dados financeiros global. Nela, examinamos a velocidade de crescimento de empresas que entravam para o ranking *Fortune* 500. Além disso, usamos nossos dados sobre oito mil empresas do mundo todo, um banco que cobre mais de 30 anos, para descobrir que empresas mundo afora ultrapassaram com mais rapidez a marca dos US$ 10 bilhões em receitas. Concluímos que, hoje, uma empresa é capaz de atingir esse marco muito mais depressa do que em décadas anteriores. Análise similar que fizemos 10 anos atrás examinou a velocidade de crescimento nas décadas de 1980 e 1990 e chegou a conclusão parecida sobre empresas que então detinham o recorde de "velocidade de crescimento".

9. "Bain Brief: Strategy Beyond Scale", February 11, 2015.

10. Com base em análise, feita pela Bain, de empresas que entraram e saíram do ranking *Fortune* 500 entre 1994 e 2014. Conclusão foi corroborada com a análise da velocidade de queda da receita de 50 dos maiores casos de *stall-out*, ou desaceleração, em empresas nos últimos 10 anos.

11. Pesquisa com 377 executivos globais realizada para a Bain & Company pela Economist Intelligence Unit (EIU) em março de 2011.

Capítulo 1

1. Com base em uma série de entrevistas e conversas de Chris Zook com Leslie Wexner em diversas ocasiões em 2015, em Columbus, Ohio.
2. Gallup State of the Global Workplace Report, 2014.
3. Esse número vem de três pesquisas distintas cujos resultados se reforçam mutuamente. A primeira foi um levantamento de empreendedores da Endeavor na reunião anual da organização em São Francisco em 2013. A segunda foi uma pesquisa de 70 executivos, todos fundadores de empresas, em um workshop realizado por Chris Zook em junho de 2013 na Vlerick School of Management, na Bélgica. A terceira foi uma pesquisa da Bain – a Founder's Mentality Global Survey – com 325 executivos. Todas mostraram resultados reiteradamente fortes.
4. Avaliação de 200 empresas do mundo todo realizada pela Bain.
5. Fizemos, na Bain & Company, uma análise do valor do ciclo de vida de uma amostra de 20 empresas globais de grande porte e capital aberto, analisando grandes variações no valor de mercado no decorrer de sua história, situando cada variação no momento do ciclo de vida no qual ocorreu e determinando se foi efeito de crises previsíveis.
6. Pesquisa com 377 executivos globais realizada para a Bain & Company pela Economist Intelligence Unit (EIU) em março de 2011.

Capítulo 2

1. Kevin Sheehan, entrevistado por Chris Zook a bordo do *Norwegian Sky*, 28 de outubro de 2013.
2. Geoff Lloyd, entrevistado por Chris Zook, Sidney, Austrália, 12 de maio de 2014.

3. Bain & Company, "Stall-Out Analysis", com base em oito mil empresas de capital aberto do mundo todo de 1993 a 2013, e em análise aprofundada de uma amostra de 50 grandes episódios de *stall-out* (desaceleração) para examinar causas e trajetórias em maior detalhe.

4. Matthew S. Olson, Derek van Bever e Seth Verry, "When Growth Stalls", *Harvard Business Review*, March 2008.

5. Pesquisa com 377 executivos da América do Norte, Europa Ocidental e Ásia feita em conjunto pela Bain e a EIU, março de 2011.

6. Entrevista com Greg Brenneman, Houston, EUA, 12 de outubro de 2015.

7. Análise de 50 transformações empresariais importantes realizada pela Bain & Company.

8. Nessa análise, a Bain utilizou uma amostra de 50 classificações setoriais (como serviços públicos ou aviação comercial civil) e trabalhou com especialistas internos para identificar grandes turbulências que o setor vinha vivendo, ou não, à época (como desregulamentação do setor de transporte aéreo ou novos modelos de precificação como mercados livres de energia).

9. John Kador, *Charles Schwab: How One Company Beat Wall Street and Reinvented the Brokerage Industry* (Hoboken, NJ: John Wiley & Sons, 2002).

10. Charles Goldman, entrevistado por Chris Zook, Nova York, EUA, 6 de janeiro de 2014.

11. O Net Promoter Score é um indicador de satisfação e lealdade do cliente ("customer advocacy") criado por Fred Reichheld, que demonstrou forte relação entre a nota e a capacidade de uma empresa de registrar um crescimento rentável. É um índice simples, obtido ao pedir ao cliente que indique, em uma escala de 1 a 10, sua probabilidade de recomendar o produto ou serviço a um amigo. O índice é calculado subtraindo-se o percentual de clientes "detratores" (que dão nota de 0 a 6 na escala) do percentual de "promotores" (os que dão nota 9 ou 10). Analisamos esse índice em empresas de uma série de setores e portes e descobrimos forte relação negativa entre tamanho e NPS, em média. Em toda categoria, no entanto, havia sempre um punhado de grandes empresas que fugiam à regra e mantinham

o "customer advocacy" apesar do grande porte, devido a medidas tomadas para preservar a mentalidade do fundador e evitar a balcanização da experiência do cliente.

12. Clayton Christensen, *The Innovator's Dilemma* (Boston: Harvard Business Press, 1997).

13. Bain, pesquisa Founder's Mentality de 325 executivos no mundo todo, setembro de 2013.

14. Michael Mankins, Bain Brief: "This weekly meeting took up to 300,000 hours a year", April 2014.

15. Temkin Group, "Employee Engagement Benchmark Survey", janeiro de 2012.

16. David Packard, *The HP Way: How Bill Hewlett and I Built Our Company* (New York: HarperCollins, 2006).

17. "A Letter from Walter Hewlett", *Wall Street Journal*, February 13, 2002.

18. Bill Taylor, "How Hewlett-Packard Lost the HP Way", *Harvard Business Review*, September 23, 2011.

Capítulo 3

1. Kevin Sheehan, entrevistado por Chris Zook a bordo do *Norwegian Star*, 30 de outubro de 2013.

2. Veja blogs no site www.foundersmentality.com para uma série de ideias sobre como passar por cima de sistemas.

Capítulo 4

1. Conclusão apresentada originalmente por Matthew S. Olson e Derek van Bever em *Stall Points* (New Haven, CT: Yale University Press, 2008) e verificada por análise recente da Bain & Company indicando que o risco e a gravidade de *stall-outs* vêm aumentando.

2. Niall Ferguson, "Complexity and Collapse", *Foreign Affairs*, March 2010.

3. Gary Moore, entrevistado por Chris Zook, San Jose, EUA, 5 de maio de 2015.

4. Geoff Lloyd, entrevistado por Chris Zook, Sidney, Austrália, 14 de maio de 2014.

5. George Buckley, entrevistado por Chris Zook, Miami, EUA, 11 de agosto de 2013.

6. John Donahoe, entrevistado por Chris Zook, São Francisco, EUA, 2 de julho de 2013.

7. Ronny Naevdal, entrevistado por Chris Zook, Oslo, Noruega, 26 de março de 2014.

Capítulo 5

1. David C. Robertson, com Bill Breen, *Brick by Brick* (New York: Crown Business, 2013).

Capítulo 6

1. Arthur Blank e Bernie Marcus, com Bob Andelman, *Built from Scratch: How a Couple of Regular Guys Grew The Home Depot from Nothing to $30 Billion* (New York: Crown Business, 1999), xvii.

2. Sam Walton, com John Huey, *Sam Walton: Made In America* (New York: Doubleday, 1992).

3. Ray Kroc, com Robert Anderson, *Grinding It Out: The Making of McDonald's* (Chicago, IL: Contemporary Books, 1985).

4. Andrew S. Grove, *Only the Paranoid Survive: How to Exploit the Crisis Points That Challenge Every Company* (New York: Currency, 1996).

5. Vinod Mahanta e Priyanka Sangani, "Corporate Dossier", *Economic Times of India*, November 9, 2013.

6. Unilever, https://www.unilever.com/sustainable-living/the-sustainable-living-plan/our-strategy/awards-and-recognition/.

NOTAS

rren Bennis e Burt Nanus, *Leaders: Strategies for Taking Charge* (New York: Harper & Row Publishers, 1985).

Hamish McDonald, *The Polyester Prince: The Rise of Dhirubhai Ambani* (New South Wales, Australia: Allen and Unwin Pty. Limited, 1999).

9. Vikram Oberoi, entrevista.

10. Relatório anual GE, 2000

grupo novo século

Compartilhando propósitos e conectando pessoas
Visite nosso site e fique por dentro dos nossos lançamentos:
www.gruponovoseculo.com.br

figurati

gruponovoseculo.com.br

Edição: 1
Fontes: Mrs Eaves XL Serif